ITのトレンドに、きちんとキャッチアップできてますか？

IT
の仕事に就いたら
「最低限」知っておきたい
最新の常識

DevOpS、
DX、FaaSなど
最新キーワード
にも対応！

イノウ 著

ソシム

Ⅰ 部 業界の常識 ……………… 9

Ⅱ 部 業務の常識 ⋯⋯⋯⋯⋯⋯ 73

Ⅲ部 最新の常識 ……………… 155

I 部

業 界 の 常 識

IT業界の地図

受託開発系

システムインテグレータ

業界御三家

NEC 東京都港区	**IBM** 米国	**日立** **ソリューションズ** 東京都品川区
富士通 東京都港区	**NTTデータ** 東京都中央区	**SCSK** 東京都江東区
日立製作所 東京都千代田区	**大塚商会** 東京都千代田区	**日本ユニシス** 東京都千代田区

自社開発系

ソフトウェア・サービスベンダー

クラウド御三家

グーグル 米国	**オラクル** 米国	**ワークスヒューマン** **インテリジェンス** 東京都千代田区
アマゾン 米国	**SAP** ドイツ	**オービック** 東京都江東区
マイクロソフト 米国	**シマンテック** 米国	**日本デジタル** **研究所** 東京都江東区

システム運用受託

日立システムズ
東京都品川区

富士通エフサス
神奈川県川崎市

NEC
フィールディング
東京都港区

上流・PM

野村総合研究所
東京都品川区

日本総合研究所
神奈川県川崎市

アクセンチュア
アイルランド

ネットワーク構築・運用

ネットワン
システムズ
東京都品川区

NEC
プラットフォームズ
神奈川県川崎市

富士通ネットワーク
ソリューションズ
東京都港区

ハードウェアベンダー

レノボ
中国

HP
米国

アップル
米国

ネットワーク・
通信機器ベンダー

シスコシステムズ
米国

ファーウェイ
中国

エリクソン
フィンランド

データセンター事業者

富士通
エフ・アイ・ピー

NTTPCコミュ
ニケーションズ
神奈川県川崎市

NEC
フィールディング

IT業界の歴史

ハードウェアの時代 （1950年代半ば〜1960年代）

コンピュータ（ハードウェア）の価格が非常に高く、ソフトウェアはそのおまけでした。コンピュータを導入できるのは大企業と政府機関のみで、多くの企業は計算機センター（時間貸しサービス）を利用していました。

主なできごと

● 東京証券取引所と野村證券に、UNIVAC 120が導入

● 三和銀行（現 三菱UFJ銀行）がIBM 650を日本で初めて銀行に導入

● 国鉄（現 JR）が座席予約システムMARSを導入

● 三井銀行（現 三井住友銀行）が日本初のオンラインシステムを稼働

注目プレイヤー

IBM
米国

NCR
米国

業界御三家
日本

オープンシステムの時代 （1980年代半ば〜2000年代）

ハードウェアの主流がPCへと移行するのに伴って、情報システムの主流もPC中心のオープンシステムへと移行していきます。受託システム開発の需要はさらに高まり、システムインテグレータが登場します。

主なできごと

● Perlなどのスクリプト言語、環境に依存しないJava言語などが登場

● リーナス・トーバルズが、オープンソースOSであるLinuxを公開

● ネットスケープが、WebブラウザのNetscape Navigatorをリリース

● マイクロソフトがWindows95を発売、デスクトップOSの標準となる

注目プレイヤー

マイクロソフト
米国

インテル
日本

システムインテグレータ
日本

ソフトウェアの時代 （1970 〜 1980 年代半ば）

コンピュータの用途が広がり、次第にソフトウェアの重要性が理解されると、ソフトハウス（ソフトウェア専門の企業）が次々と誕生します。また大手ユーザー企業の情報システム部門が独立します（ユーザー系）。

主なできごと

● ビル・ゲイツがマイクロソフト、ラリー・エリソンがオラクルを創業

● 日鉄コンピュータシステム（現 新日鉄住金ソリューションズ）が独立

● NEC が PC8801 シリーズ、アップルがマッキントッシュを発売

● IBM が PC/AT 互換機の仕様を公開し、事実上の業界標準となる

注目プレイヤー

IBM
米国

ウェスタンデジタル
米国

ソフトハウス
日本

サービスの時代 （2010 年代〜）

IT サービスへの流れを決定付けたのがグーグルです。当初、検索サイトとして登場したグーグルは、様々なソフトウェアを IT サービスとして提供し、その後、様々なクラウドサービスが提供されるようになります。

主なできごと

● グーグルが Gmail、Google ドライブ、Google カレンダーなどを提供

● アマゾンが、Amazon Web Service の提供を開始

● セールスフォース・ドットコムが SFA や CRM の IT サービスを提供開始

● ユーザー企業による IT アウトソーシングサービスの利用が増える

注目プレイヤー

グーグル
米国

アマゾン
米国

IT サービスベンダー
日本

コンピュータの歴史

1950-1970

「メインフレーム」全盛の時代。一部屋を占領する巨大なメインフレームには、パンチングカードなどを使ってプログラムを入力していた。

メインフレームは徐々に、（メインフレームよりも小さな）「ミニコンピュータ」に取って代われ、工場や研究室などにも導入されるようになる。

1970-1980

1990-2000

1995年、マイクロソフトがWindows95を発売すると、発売前夜、家電量販店の前に行列ができてお祭り騒ぎとなった。

1980-1990

NECの88シリーズ、アップルのマッキントッシュなど、初期のPCが登場する。NECははじめて、PCのCMを打って話題となった。

2000-2010

デスクトップ型に代わり、ラップトップ型（ノート）PCが主流となる。ノマドワーカーにとっての憧れは、スタバでMacで仕事だった。

2010-

タブレットPCやSufaceなどの2in1タイプのPCが登場。マイクロソフトやグーグルなど、ソフトウェアベンダーによるハードウェアが増える。

IT業界は、どのような価値を提供しているのですか？

企業や個人が「情報」を効率的に利用できるようにします。

　IT業界は、「様々な**情報**の効率的な利用を支援する」サービスを提供しています。メーカーの会計業務を例に、簡単に説明しましょう。メーカーでは通常、購買や製造、物流や販売などのプロフィット部門が、仕入、生産、流通、販売といった活動から生じるコストと売上を、人事や総務、情報システムなどのコスト部門が、設備、雇用、外注などに伴うコストをそれぞれ情報システムに入力します。これらの情報を財務会計部門が情報システムにより把握することで、正確な利益の算出が可能になるのです。

　情報システムが、銀行の入出金管理、株式の取引、店舗の在庫管理、工場の生産管理、オフィスの業務管理、電話の通信管理、鉄道の運行管理など、身の回りのあらゆるところに活用されるようになった結果、現在、IT業界は社会のインフラを支える存在となっています。一方で、情報システムの不具合が社会インフラの危機に直結するようになったため、IT業界は、その開発・運用業務において責任を厳しく問われるようになったのです。

Key word

ERPとSCM

ERP（Enterprise Resource Planning、企業資源計画）とは、会計、人事、生産、物流、販売などの業務に関する情報を一元管理するという概念、またはそのシステム。ERPシステムは一般に、財務情報に基づく経営資源の最適配分を図るために使われる。一方、SCM（Supply Chain Management、供給連鎖管理）は、計画（生産・販売）、調達、生産、物流、販売などの業務に関する情報を一元管理するという概念、またはそのシステム。SCMシステムは一般に、販売情報から導き出した生産予測情報をベースに、計画生産と効率化を実現するために使われる。いずれも情報システムの開発規模が大きい。

メーカーの会計業務とITの関係
ユーザー企業や個人が様々な情報を効率的に利用できるように支援する

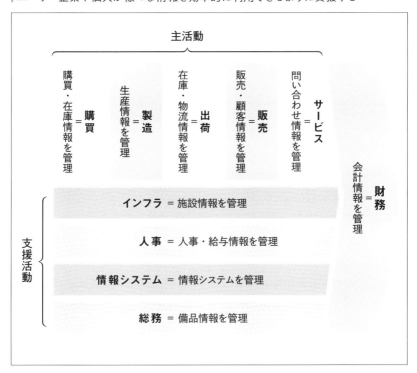

ERP
財務情報に基づき経営資源の最適配分を支援

SCM
生産予測情報をベースに計画生産と効率化を実現

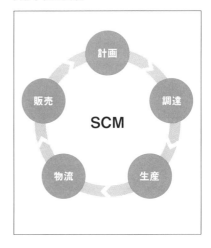

IT業界には、どのような種類のビジネスがありますか？

受託開発、パッケージソフト、運用受託など様々です。

　IT業界のビジネスは大きく、企業からの依頼で情報システムを開発する**受託システム開発**、業務パッケージソフトやOS、ゲームソフトを開発・提供する**パッケージソフト**、ネットワークの設計・構築・運用を請け負う**ネットワーク構築・運用**、情報システムの運用管理などを受託する**システム運用受託**、情報システムによる経営課題の解決を担う**ITコンサルティング**、同業者にIT技術者を派遣する**下請・派遣**、インターネット上でサービスやコンテンツを提供する**ITサービス**、サーバやPC、ネットワーク機器などを製造・販売する**ハードウェア**に分けられます。システム運用受託は、部署の一部あるいは全部の業務を受託するBPOのサービスも提供するようになっています。

　IT業界では、ビジネスの種類だけでなく、課金方法も多様です。パッケージソフトやハードウェアで多い**買い切り方式**や受託システム開発で多い**見積り方式**に加えて、下請け・派遣で一般的な**人月方式**、月額のサービス利用料を請求する**サブスクリプション方式**など様々な課金方法が採られています。

Key word

サブスクリプション方式と買い切り方式

サブスクリプション方式とは、製品やサービスを一定期間利用できる権利に料金を払うビジネスモデル。一方、買い切り方式は、製品を購入して利用するビジネスモデル。IT業界では、かつて買い切り方式が主流だったが（パッケージソフト）、ユーザーにとって「利用開始コストが安い」「使わなくなったら簡単に止められる」「いつでも最新版を利用できる」、提供側にとって「継続的な売上を期待できる」「利用状況を把握できる」「メンテナンスが楽」などのメリットがあることから、徐々にサブスクリプション方式に切り替わりつつある（ITサービス）。現在、コンテンツ、アパレル、飲食など、様々な分野に広がっている。

IT業界のビジネス

受託開発、パッケージ、ネットワーク、運営受託、ITコンサルティング、下請・派遣、IT
サービス、ハードウェア

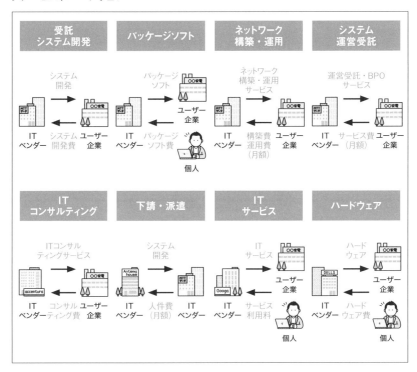

業務アウトソーシング (BPO)

部署の一部あるいは全部の業務をアウ
トソースすること

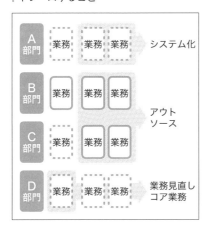

サブスクリプション型

月単位の課金でつねに最新バージョン
を利用

	サブスクリプション方式	買い切り方式
支払い方法	月や年の単位で支払う	購入時に支払う
OSのアップグレード	対応 最新バージョンで使用可能	非対応 メーカーのサポートが終了した場合は購入し直す
サポート	料金を支払っている期間は常に対応	販売終了後のバージョンはサポート終了することもある

IT業界の市場規模は、拡大しているのですか?

基本的に、市場規模は右肩上がりを続けています。

　日本における IT 業界の売上は、2018 年、約 24 兆円であり、リーマンショック後の 2010 年を除いて、基本的に右肩上がりを続けています。日本全体が低成長を続けるなかで、他の業界の市場規模がほぼ横ばいであることを考えると、IT 業界の成長は堅調と言えるでしょう。ただし、これは日本だけでなく世界的なトレンドであり、北米、ヨーロッパ、アジアのいずれにおいても IT の市場規模は拡大しています。

　ここ 10 年ほどの IT 業界の市場は、基本的にユーザー企業への様々な情報システムの導入と、スマートフォン、タブレットといった端末の多様化に伴って成長してきました。導入を支えたのは、ハードウェア、ソフトウェア、ネットワーク、データベースといったコンピュータ関連技術の進歩です。たとえば情報システムにおけるコンピュータの主流が**メインフレーム→ミニコンピュータ→サーバマシン**へと変化していくにつれて、高性能化、低価格化、省サイズ化が進み、かつて大企業しか導入できなかった情報システムが、中堅、中小企業にも導入されるようになり、市場が成長したのです。

Key word

メインフレーム、ミニコンピュータ、サーバマシン

メインフレーム（汎用機）とは、商用コンピュータの最初の形態であり、有名な機種に IBM の「System360」がある。メインフレームはソフトウェアとセットで提供され、CPU や OS なども独自設計だ。ミニコンピュータ（ミニコン）とは、メインフレームよりも小型の商用コンピュータ。導入当初は、研究室における科学技術計算、工場における機器の制御に利用されたが、次第にメインフレームを置き換える。ミニコンの有名メーカーに DEC がある。そしてサーバマシンとは、IBM が策定した「PC/AT 互換機」の業界標準に準拠した高機能 PC である。メインフレームやミニコンと異なり、異なるメーカーの機器を相互接続できる。

IT（情報サービス）業界と他業界（物品賃貸業、広告業）との売上比較

IT業界は基本的に右肩上がりで成長を続けている

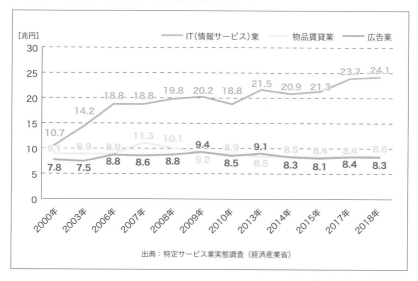

[兆円]

凡例： — IT（情報サービス）業 ┄ 物品賃貸業 ┄┄ 広告業

	2000年	2003年	2006年	2007年	2008年	2009年	2010年	2013年	2014年	2015年	2017年	2018年
IT（情報サービス）業	10.7	14.2	18.8	18.8	19.8	20.2	18.8	21.5	20.9	21.3	23.7	24.1
物品賃貸業	9.1	8.9	8.9	11.3	10.1	9.4	8.9	9.1	8.5	8.4	8.4	8.6
広告業	7.8	7.5	8.8	8.6	8.8	9.2 / 8.5	8.5		8.3	8.1	8.4	8.3

出典：特定サービス業実態調査（経済産業省）

ITビジネスごとの市場規模（日本）

受託システム開発が全体の5割強を占める

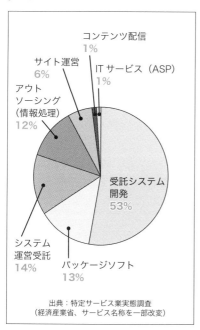

コンテンツ配信 1%
サイト運営 6%
IT サービス（ASP） 1%
アウトソーシング（情報処理）12%
受託システム開発 53%
システム運営受託 14%
パッケージソフト 13%

出典：特定サービス業実態調査
（経済産業省、サービス名称を一部改変）

世界のIT市場の伸び

世界的にも、IT市場は
成長している

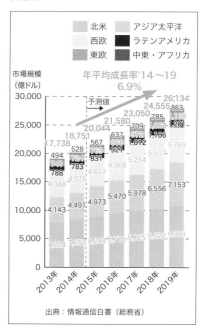

凡例： 北米 アジア太平洋 / 西欧 ラテンアメリカ / 東欧 中東・アフリカ

市場規模
（億ドル）

年平均成長率'14〜19 6.9%

予測値

出典：情報通信白書（総務省）

IT業界は、どのような企業で構成されますか?

御三家、外資系ベンダー、システムインテグレータなどです。

　日本のIT業界において、売上高1兆円以上の大手は富士通、日本電気(NEC)、日立製作所の**業界御三家**です。ソフトウェアからハードウェアまで幅広く手がける、この3社とIBMは**メーカー系**と呼ばれています。売上規模5千億から1兆円の準大手には、IBMのほか、NTTデータなどのシステムインテグレータのほか、OA機器の商社から受託システム開発へと事業を拡大した大塚商会があります。売上規模1千億から5千億円の中堅には、日立システムズや富士通エフサスのようなメーカー系の子会社、野村総合研究所やみずほ情報総研のようなユーザー企業の子会社などがあります。そして、売上規模1千億円以下の企業の多くは、中小企業向けのシステム開発や大手・中堅が受注した案件の下請けを手がけています。

　なお、世界の**ITメジャー**と比較すると、日本のIT企業は売上規模で大きく差をつけられています。この差の大きな要因は、海外展開と業態の違いです。すなわち、ITメジャーはグローバルで同じ製品・サービスを売ることで、大きな売上と利益を確保しているのです。

Key word

中国と台湾のPCメーカー

2018年の調査によれば、世界のPCメーカー売上上位は、1位からレノボ(中国)、HP(米国)、デル(米国)、アップル(米国)、エイサー(台湾)、エイスース(台湾)である。これらの企業に押され、日本の大手企業はパナソニックを除いて、PC事業から撤退した。また、このうち台湾メーカーであるエイサーはかつてNECや富士通にOEMのPCを提供し、エイスースは日本にマザーボードを輸出するなど、日本企業とも馴染みが深い。そして、レノボは、04年にIBM、11年にNEC、17年に富士通のPC部門を買収し、日本でも実はPCの売上トップ企業となっている。このように中国と台湾のメーカーはPC事業で競合している。

日本市場におけるIT業界の大手、準大手、中堅企業
大手は1兆円超、準大手は5千億〜1兆規模、中堅は1千億〜5千億円規模

大手	富士通	日本電気	日立製作所
	売上高 1兆8,315億円 経常利益 −54.4億円	売上高 1兆5,743億円 経常利益 6.6億円	売上高 1兆9,302億円 経常利益 1,312.9億円

準大手	日本IBM	NTTデータ	大塚商会
	売上高 9,059億円 経常利益 938.0億円	売上高 8,861億円 経常利益 822.5億円	売上高 5,849億円 経常利益 442.5億円

中堅

野村総合研究所	日立システムズ	SCSK	富士通エフサス
売上高 3,700億円 経常利益 584.9億円	売上高 3,632億円 経常利益 396.1億円	売上高 2,630億円 経常利益 290.4億円	売上高 2,611億円 経常利益 −
みずほ情報総研	日本オラクル	NTTコムウェア	日本ユニシス
売上高 2,434億円 経常利益 −	売上高 1,954億円 経常利益 559.7億円	売上高 1,727億円 経常利益 81.0億円	売上高 1,678億円 経常利益 112.9億円
NECフィールディング	日立ソリューションズ	ネットワンシステムズ	日本総合研究所
売上高 1,639億円 経常利益 −	売上高 1,531億円 経常利益 186.4億円	売上高 1,340億円 経常利益 53.1億円	売上高 1,365億円 経常利益 −
富士ソフト	SAPジャパン	アクセンチュア	日本マイクロソフト
売上高 1,306億円 経常利益 79.1億円	売上高 1,143億円 経常利益 119.3億円	売上高 − 経常利益 −	売上高 − 経常利益 −

世界のITメジャー
SAPを除いて、すべて米国系の企業だ

アマゾン	22兆8,700億円
グーグル	13兆1,300億円
マイクロソフト	10兆6,400億円
IBM	7兆8,000億円
フェイスブック	5兆3,800億円
オラクル	3兆9,800億円
SAP	3兆2,000億円
セールスフォース・ドットコム	1兆400億円

世界のITハードウェア大手
中国勢の躍進が目立つ

アップル	27兆3,300億円
ファーウェイ	12兆円
デル	8兆円
インテル	6兆3,800億円
レノボ	5兆6,000億円
ヒューレット・パッカード	5兆4,000億円
シスコシステムズ	4兆8,500億円
ARMホールディングス	3兆4,000億円

受託開発系は、どのような サービスを提供していますか？

担当する業務と開発の対象などで、分類できます。

　受託開発系は、企画提案から運用管理までの開発プロセスと、業務システムや Web システムといった開発対象の軸で整理するとわかりやすいでしょう。

　開発プロセスの全業務を請け負うサービスは**システムインテグレーション**、要件定義・設計業務と開発・導入のプロジェクト管理を請け負うサービスは **IT コンサルティング**、設計・開発・テストを請け負うサービスは**プログラム開発**、そして運用保守業務を請け負うサービスは**システム運用管理**と呼ばれます。サービスの開発・運用対象は業務システムであり、それぞれシステムインテグレータ、IT コンサルティングファーム、協力会社、システム運用受託会社などが担っています。

　このほか、ネットワーク・インフラの構築や運用管理を担当する**ネットワーク構築・運用**、家電や自動車などに搭載される組込みシステムを開発する**組込みシステム開発**、Web システムを構築する **Web 制作**、スマホアプリケーションを開発する**アプリ開発**などに分かれてサービスを提供しています。

Key word

業務システム、Webアプリ、スマホアプリ、組込みシステム

受託開発系の会社が開発対象によって細かく分かれるのは、求められる技術やスキルが異なるからだ。業務システムの場合、Java、VB、C++などの開発言語を使い、セキュリティやプロジェクト管理のスキルが非常に重要になる。Web アプリケーションは、PHP、Python、JavaScript などで開発し、HTML や CSS の知識が必須となる。スマホアプリの開発には、Swift、Java、Kotlin などが使われ、UI やユーザービリティの設計が極めて重要だ。組込みシステムの開発には、C や C++ を使うことが多く、ハードウェアの知識が欠かせない。なお一般に、業務システムの開発が最も単価が高く、規模も大きくなる。

受託開発系のIT企業が担当する開発プロセス

システム開発のプロセスごとに受託開発系を整理・分類

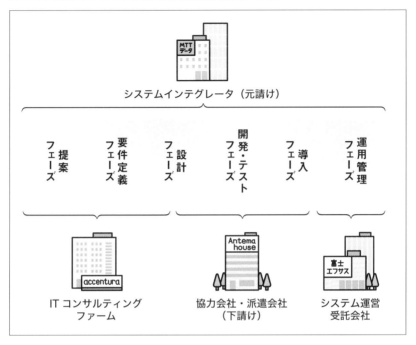

受託開発系のIT企業が開発するソフトウェア

システムの開発対象ごとに受託開発系を整理・分類

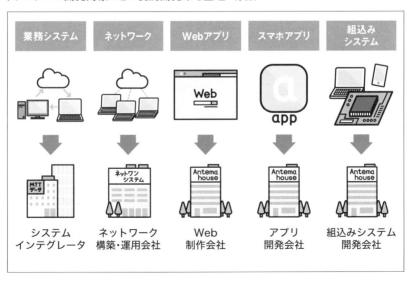

自社開発系は、どのような
サービスを提供していますか？

基本ソフト、ミドルウェア、業務アプリ、ハードなどです。

　自社開発系は、基本ソフトやミドルウェアといった開発対象と、パッケージ販売やサービス提供といった提供方式の軸で整理するとわかりやすいでしょう。パッケージソフトの開発対象は、**OS**（基本ソフト）、データベースやサーバ（ソフトウェア）といった**ミドルウェア**、ERPやCRMといった**業務アプリケーション**、サーバマシンやネットワーク機器といった**ハードウェア**など、ITサービスの開発対象はミドルウェアや業務アプリケーションのほか、スマホアプリ、クラウドサービスがあります。また、パッケージソフトは基本的にサーバマシンやPC、スマホやタブレットといった自らのハードウェアにインストールして利用する一方、ITサービスでは、ソフトウェアはインターネットの向こうのサーバ上に置かれていて、企業や個人はブラウザ上などでソフトウェアの機能をサービスとして利用します。

　なお、パッケージソフトやITサービスの提供方法には、**無償提供**から、**パッケージ・ダウンロード販売**、**代理店販売**、**サブスクリプション方式**まで様々なバリエーションがあります。

Key word

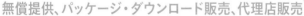

無償提供、パッケージ・ダウンロード販売、代理店販売

無償提供はオープンソースソフトウェア（「III-05」を参照）の配布のほか、比較的安価なパッケージソフト・ITサービスにおける高機能な有料版へのアップグレードを狙った販促手段として利用される。パッケージ販売はパッケージソフトを量販店で販売するモデルだが、最近は激減し、ダウンロード販売に切り替わっている。代理店販売は主にミドルウェアや業務アプリケーション（「I-07」）のパッケージソフトやITサービスの販売で採用される。比較的価格の高い製品やサービスで利用されることが高い。代理店にはソフトウェア商社のほか、システムインテグレータもなっている。サブスクリプション方式は「I-02」参照。

自社開発系が開発するソフトウェア
自社開発系の多くは世界的なITメジャー

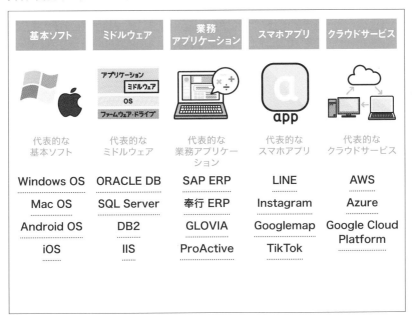

基本ソフト	ミドルウェア	業務アプリケーション	スマホアプリ	クラウドサービス
代表的な基本ソフト	代表的なミドルウェア	代表的な業務アプリケーション	代表的なスマホアプリ	代表的なクラウドサービス
Windows OS	ORACLE DB	SAP ERP	LINE	AWS
Mac OS	SQL Server	奉行 ERP	Instagram	Azure
Android OS	DB2	GLOVIA	Googlemap	Google Cloud Platform
iOS	IIS	ProActive	TikTok	

自社開発系がソフトウェアを提供する方法
価格が高く、サポートが必要なソフトウェアは代理店販売ほとんど

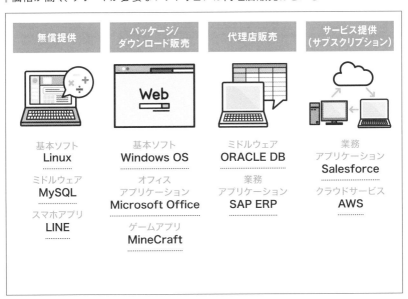

無償提供	パッケージ/ダウンロード販売	代理店販売	サービス提供（サブスクリプション）
基本ソフト Linux	基本ソフト Windows OS	ミドルウェア ORACLE DB	業務アプリケーション Salesforce
ミドルウェア MySQL	オフィスアプリケーション Microsoft Office	業務アプリケーション SAP ERP	クラウドサービス AWS
スマホアプリ LINE	ゲームアプリ MineCraft		

業務アプリケーションには、どのような種類がありますか?

基幹系、業務支援系、Web系などに分類できます。

　企業で稼働する業務アプリケーションは、**基幹系**、**業務支援系**、**Web系**の3つに分けられます。基幹系とは、会計、人事、購買、生産、販売、在庫といった企業の根幹を担う業務の情報を管理するソフトウェアです。前述のERPやSCMも基幹系に分類され、各業務の情報を個別に管理するソフトウェアもあります。

　一方、業務支援系とは、販売、営業、その他の業務を様々な視点から支援するソフトウェアです。顧客ごとの売上・属性データを収集・管理・分析することで販売活動を支援するアプリケーションは**CRM**、販売員・顧客ごとの営業プロセスや進捗情報を収集・管理・分析することで営業活動を効率化するアプリケーションは**SFA**と呼ばれます。このほか、プロジェクト管理、ナレッジマネジメント、グループウェア、データ分析、セキュリティ対策用のアプリも提供されています。

　そしてWeb系は、**CMS**（コンテンツ管理）、ECサイト構築、ログ解析など、Webアプリケーションを構築・運営する上で利用するソフトウェアです。

Key word

システムとアプリケーション、業務アプリとWebアプリ

システムとは、ハードウェア、ネットワークなどアプリケーションを動かすために必要な仕組み全体を指す。これに対して、アプリケーションは特定の目的を実行するために作成されたソフトウェアだ。業務アプリケーションは社内ユーザーの業務を支援するソフトウェアであり、通常、PCにソフトウェアをインストールして利用する。一方、Webアプリケーションは社内社外を問わず、インターネットを通じてブラウザ上で実行されるソフトウェア（Webアプリケーションとして構築される業務アプリケーションもあり得る）。なお、スマホ向けソフトをアプリ、PC向けソフトをアプリケーションと呼び分けることもある。

基幹システム
財務会計、人事給与、生産調達といった企業の基幹業務を支える

名称	説明
ERP（Enterprise Resource Planning）システム	財務会計、人事管理、購買管理、在庫管理、販売管理、生産管理などの業務システムを企業全体の視点で統合的に管理するシステム
SCM（Supply Chain Management）システム	自社内あるいは取引先との間で受発注や在庫、販売、物流などの情報を共有し、原料、部材、製品を全体最適するシステム
会計システム	会社の会計情報を開示するためのPL、BS、キャッシュフローといった財務諸表や企業内の関係者間で経営管理に役立つ会計情報を提供することで、経営を支援するシステム
人事管理システム	勤務管理、労務管理、人事情報管理、給与管理などを支援するシステム
販売在庫管理システム	受注管理、在庫管理、出荷管理、売上管理などを支援するシステム
生産購買管理システム	原材料管理、購買管理、生産計画、工程管理、製品出庫・在庫管理、原価管理などを支援するシステム

業務支援システム
販売、営業、企画といった企業のフロント業務を支える

名称	説明
CRM（Customer Relationship Management）システム	顧客ごとの売上・属性データを収集・管理・分析することで、販売チャネルごとの販促、営業、保守などの活動を支援するシステム
SFA（Sales Force Management）システム	販売員・顧客ごとの営業プロセスや進捗情報を収集・管理・分析することで、営業活動を効率化するシステム
プロジェクト管理システム	プロジェクトの進捗・問題・変更・リスク・品質・コミュニケーション・構成・書類などを管理するシステム
KM（Knowledge Management）システム	企業内部の書類やドキュメント、情報や知見の管理や作成を支援するシステム。一般に、検索性・安全性・保存性などの向上に寄与する。
グループウェア	スケジュール管理、電子決済、設備予約、ファイル共有、電子掲示板、ドキュメント管理などを通じて、組織内の情報共有を支援するシステム
データ分析（データマイニング）システム	自社の売上や製品、競合他社の動向や製品などのデータを分析することで、経営・業務上の意思決定を支援するシステム
セキュリティ管理システム	PC管理、ソフトウェア配布、ライセンス管理、パッチ管理、ログ管理、不正検出などにより情報システムのセキュリティ管理を支援するシステム

Webシステム
Webサイトの構築・運営、マーケティングといった業務を支援する

名称	説明
CMS（Contents Management System）	ウェブサイトを構成するテキスト・画像などのデジタルコンテンツを統合的に管理し、配信を支援するシステム
ECサイト構築システム	商品紹介・注文、MYページ、認証、基本情報設定、顧客管理、受注管理、商品管理、売上集計、販売分析、決済などの機能を備えたシステム
ログ解析システム	自社サイトにアクセスしてきたユーザーの要求内容履歴を集計・分析するシステム

IT業界の主要顧客は、どのような業界ですか?

IT、製造、金融・保険、通信などがメイン顧客です。

　IT業界の主要顧客は、受託開発系か自社開発系か、そして企業の規模によってかなり変わります。一定規模以上の受託開発系の場合、主要顧客は主に中堅規模以上の企業や団体です（通常、**ユーザー企業**と呼ばれます）。ユーザー企業のうちシステム化投資の金額が高いのは、自動車、電機、精密機器などのメーカーと、銀行、生保、損保、証券 会社などの金融機関であり、どちらも総額で年間約3兆円もの予算を投じて、システムの開発・運用を委託しています。ただし、システム投資の内訳は業界によって異なり、メーカーやITではシステム開発の割合が高い一方、金融機関や流通では情報処理やシステ ム運用管理の割合が高くなっています。

　一方、自社開発系の場合、業務アプリケーションはほぼ受託開発系と同じですが、それ以外はユーザー企業から個人ユーザーまで幅広い層が顧客となっています。

　なお、大手の金融機関、メーカーなどは、自社の**情報システム部門**を子会社化して、多くのシステムを子会社経由で発注しています。

Key word

ITベンダーとユーザー企業

情報システムの開発・運用において、ユーザー企業とは依頼する企業、ベンダーとは支援（受託）する企業を指す。ベンダーとは通常、メーカーのことを指すが、IT業界では、システムインテグレータもベンダーに含めるのが一般的。そのため、システム（開発）ベンダー、ハードウェアベンダー、ソフトウェアベンダー、セキュリティベンダーなどに分類され、すべてを総称してITベンダーと呼ばれる。また、複数の企業が関わって開発する開発案件は、「マルチベンダー案件」などと呼ばれる。なお、日本ではIT人材の75%がITベンダーに所属しているのに対し、米国では72%がユーザー企業に所属している。

ユーザー企業の産業別構成

金融、製造、官公庁、流通といった企業からの発注が全体の5割近くを占める

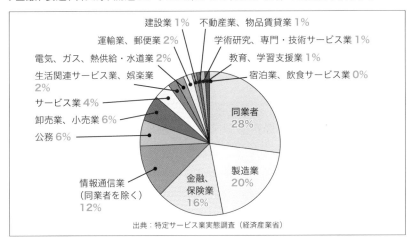

出典：特定サービス業実態調査（経済産業省）

ユーザー企業のシステム子会社

大手企業の多くが、システム子会社を抱えている

業界によって、求められる 情報システムは変わりますか?

システムが担う業務によって、当然、変わります。

　金融機関では、銀行と証券の情報システムが非常に大規模です。銀行システムの中核は、**勘定系システム**。銀行の預貯金、貸出、為替、ATMネットワークなどを管理する勘定系システムは、銀行間で相互に接続されることで、銀行のオンラインシステムを構築しています。また証券取引がほぼすべてシステム化されている現在、証券会社にとって情報システムの安定稼働は極めて重要であり、その開発には様々な業務の知識が求められます。そのため大手証券会社は、野村総研や大和総研といったシステム子会社が中心となって、有価証券の取引と派生売買を担うシステムを構築しています。

　一方、メーカーにおけるシステム開発の中心は、資材の調達、製品の生産や在庫管理や配送、販売やサービスの情報を、社内だけでなく、取引先との間で共有する **SCM** であり、SAPなどのパッケージ導入も盛んです。そして、流通事業者の情報システムは主に、**POS** と **CRM** を中核として、商品の在庫管理や発注、売上管理や販売促進を担っています。

Key word

企業統合と担当ベンダー

企業が統合すると、中核となる情報システムもどちらか一方に統合（片寄せ方式）されることになる。統合される側のシステムベンダーは仕事を奪われることになるため、どちらに片寄せするかを巡り様々な駆け引きが行われる。たとえば、第一勧業銀行（富士通）と富士銀行（日本IBM）と日本興業銀行（日立製作所）が合併してみずほ銀行が誕生した際には、担当ベンダー間で綱引きが行われ、時間もなかったことから、各銀行の勘定系システムを併存させる形となり、それが大規模システムトラブルにつながったと言われる。なお、メガバンクの勘定系システムはNEC、富士通、日立製作所、日本IBMの4社が独占していた。

金融業に求められるシステム（例）

勘定系システムを中核として、金融ネットワーク構築を支援

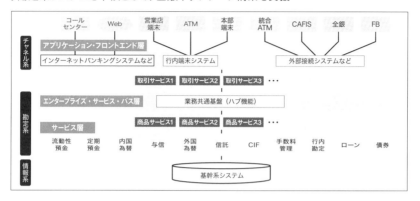

製造業に求められるシステム（例）

サプライチェーン・システムを中核にして、受注に基づく最適生産を実現

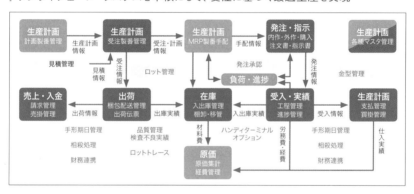

流通業に求められるシステム（例）

販売情報管理（POS）と顧客情報管理（CRM）を中核に、単品管理を可能に

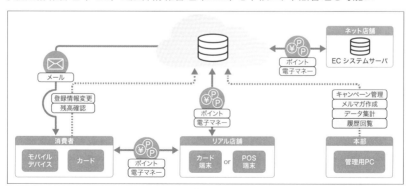

33

ユーザー企業の情報システム部門は どのような役割を果しますか?

社内ユーザーを支援し、ベンダーに開発・運用を発注します。

　ユーザー企業において、IT ベンダーにシステムを発注する役割を担っているのが**情報システム部門**です。通常、IT ベンダーのエンジニアはユーザー企業の業務がわからず、ユーザー企業内の業務担当（社内ユーザー）もすべての業務を把握していません。そこで情報システム部門の担当者が、社内の様々な業務の内容と流れ、そしてシステム化対象となる業務と IT ベンダーの SE とともに要件をまとめます。ただし、実際のプロジェクトでは要件があやふやなことも少なくありません。たとえば、システム導入の目的が、経営層にとってはコスト削減、エンドユーザーにとっては業務の効率化、情報システム部門にとっては運用業務の平準化というように異なるのです。このような場合、IT ベンダーには、矛盾点を整理して、妥協点を見つける役割が求められます。

　なお最近は、情報システムと業務との親和性が高くなった結果、情報システム部門がシステムだけではなく業務自体を再設計したり、情報システム部門のトップである最高情報責任者（**CIO**）が会社全体の業務の最適化を図ったりするケースも増えています。

Key word

CIOとCDO

CIO の役割は、IT 戦略（「II-09」参照）を立て、実行することだ。具体的には、情報システムの企画・導入・評価と IT 戦略自体の実行評価を担当し、情報システムの活用・運用、IT インフラの調達・最適化、情報セキュリティの方針を決める。「最高デジタル責任者」あるいは「最高データ責任者」とも呼ばれる CDO は、IT によるビジネス・組織・業務のあり方、あるいはユーザー企業におけるデータ活用方針などを決める役割。CIO から CDO へと切り替える企業が増えている背景には、AIや IoT などの IT で実現できることが広がっていることがある。要は、IT を使って何ができるかを考える役割がいま注目されているのだ。

情報システム部門の組織 (例)
大企業の場合、数十人から数百人の規模に

情報システム部門に求められる役割
経営戦略とIT戦略を統合する

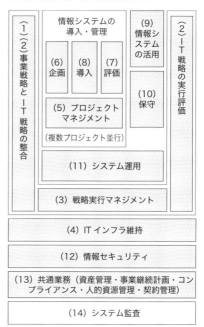

システム開発における情報システム部門の役割
事業部門とベンダー企業の間をつなぐことで、システムの方向性を調整する

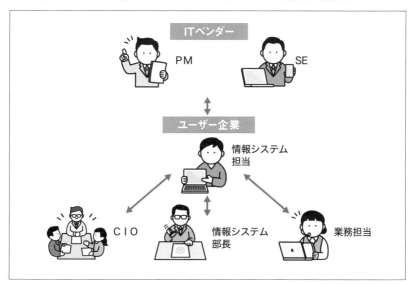

35

システム開発のプロジェクトには どのような企業が参加しますか?

システムインテグレータが、中核的な役割を担います。

　大規模システムの場合、通常、システムイン テグレータ **(SIer)** がユーザー企業から一括受注して、下請けとしてプログラム開発とテストを担当するソフトハウス（**協力会社**）、業務アプリケーションやミドルウェアなどを提供する**ソフトウェアベンダー**、サーバマシンやネットワーク機器を提供する**ハードウェアベンダー**、データセンター事業者などに、ネットワーク・インフラの構築などを請け負う**ネットワークベンダー**、システムの運用管理を担う運用管理ベンダーなどに発注します。

　業務自体を再設計するような場合にはITコンサルティングファームや総研、パッケージソフトを導入する場合にはソフトウェアベンダー、ITサービスを導入する場合にはITサービスベンダーが、それぞれユーザー企業にシステムインテグレータを紹介するケースも少なくありません。またソフトウェアやITサービスベンダーは、製品・サービスを提供するだけでなく、システムの開発・運用管理にあたって 発生する様々なトラブルの解決を支援します。

Key word

ベンダーロックインとオープンアーキテクチャ

ベンダーロックインとは、ソフトウェアやハードウェアの調達において、特定ベンダーによる独自仕様の技術や製品・サービスを採用した結果、システム乗り換えや周辺機器調達の際に、他社への乗り換えが難しくなる状態を指す。選択肢が狭まるだけでなく、コスト増大のリスクも上がるため、避けなくてはならない。

オープンアーキテクチャとは、ソフトウェアやハードウェアの仕様を公開することで、どのベンダーでも同様の製品サービスを作れるようにすること。ベンダーロックインを避けるには、ソフトウェアやハードウェアの調達にあたり、オープンアーキテクチャの製品・サービスを選ぶ必要がある。

システム開発におけるユーザー企業とベンダー企業の関係

大規模プロジェクトでは、システムインテグレータが中核的な役割を果たす

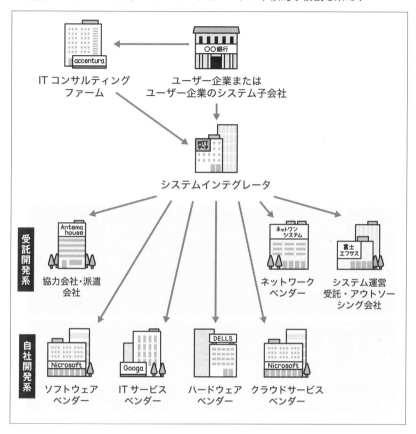

システム開発プロジェクトにおける受注のパターン

様々な窓口から受注することになるシステム開発のプロジェクト

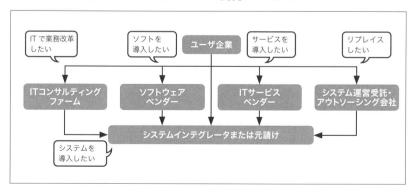

IT業界のピラミッド構造には、どのような問題がありますか?

ブラックな労働環境の温床を発生させがちです。

　Ⅰ-11で解説したように、大規模なシステム案件の場合、システムインテグレータ（1次請け）がユーザー企業から一括受注して、ソフトウェア開発の業務を2次請けの会社に発注します。そして、2次請けの会社は3次請けの会社に一部の業務を発注し、さらに3次請けの会社が4次請けの会社や個人などに発注することもあります。

　こうした構造は、IT業界の**ピラミッド構造**と呼ばれ、間に入る会社がそれぞれマージンを取るので、下に行けば行くほど実労働とは関係なく利益が少なくなります（当然、従業員の給与も低くなる）。またしばしば、1次請け、2次請けの会社が業務を丸投げして何もやっていない、社員も必要なITスキルがまったく身に付かない、などの状況が生まれがちです。

　特に一部のユーザー企業は、システム案件を必ず自社のシステム子会社を通して発注しています。そして、この1次請け会社が、外部のITベンダーの社員を自社の社員としてユーザー企業に派遣したりするなど、**不法労働**の温床となっているのです。

Key word

ITゼネコンとIT土方

　ITゼネコンとは、IT業界のピラミッド構造が建設業界の下請構造と似ていることから、システムインテグレータをゼネコンに例えた言葉。ピラミッド構造と言われる理由は、元請けよりも2次請け、2次請けよりも3次請けのほうが参加メンバーの数が増えるからである（ただし、企業の規模は小さくなる）。大規模システムの開発には膨大なスタッフが必要になる。そのためITゼネコンが、それらのスタッフを下請け企業から調達する。下請けとしてプログラムを開発するスタッフは、実際に手を動かすことから「IT土方」などと呼ばれ、ときには元請けの名刺を持って客先常駐することも少なくない。

IT業界の下請け構造＝ピラミッド構造（例：大規模プロジェクト）
大規模プロジェクトには、5次請けまで参加することもある

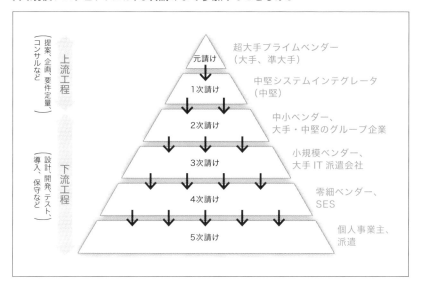

1次請け、2次請け、3次請けの業務
受託開発型と客先常駐型の2つが存在する

発注型	主に顧客として取引先企業や下請けに開発業務を発注する立場
受託開発型・1次下請け	開発案件を元請け企業から直接請けて、自社で開発業務を行っている
客先常駐型・1次下請け	開発案件を元請け企業から直接請けて、客先に常駐して開発業務を行っている
受託開発型・2次下請け	開発案件を1次下請け企業から請けて、自社で開発業務を行っている立場
客先常駐型・2次下請け	開発案件を2次下請けで、客先に常駐して開発業務を行っている
受託開発型・3次下請け	開発案件を2次請け企業から請けて、自社で開発業務を行っている立場
客先常駐型・3次下請け	開発案件を3次請けで、客先に常駐して開発業務を行っている

下請け構造による給与格差
財務情報を中核として様々な情報を統合

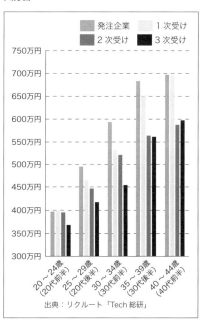

出典：リクルート「Tech総研」

受託開発系の組織体制は、どうなっていますか?

大手は、業界別部門と業務別部門に分かれています。

　一般に大手システムインテグレータの組織は、金融、公共、製造などの**業界別部門**、ERP や SCM といった**業務別部門**に分かれて、業界別部門が主に東京、神奈川、愛知、大阪などの市場の大きな地域を担当し、地域統括部門がそれ以外の地域を担当しています。

　システムインテグレータにおける業界別部門は、自社の主力部隊であり、NTT データであれば自治体ソリューション、野村総研であれば証券取引のように、自社が強みを持つ業界向けシステムの開発・運用サービスを提供しています。また、大手の多くは、業界特有の業務アプリケーションのパッケージソフトを開発しています。

　業界別部門ではシステム案件ごとに、プロジェクトマネージャーの下に、SE や営業、運用管理担当で構成される基本ユニットが編成され、システムのすべてを担当します。ユニットの規模は、システム案件の大きさによって変わってきます。大規模案件の場合には、開発費は数十億から数百億、参加人数は数千人、開発期間は数年に及ぶことも珍しくありません。

Key word

品質管理とプロジェクト管理

品質管理とは「ソフトウェアエンジニアリング」（「II-07」参照）の観点からコードの品質を管理する役割。具体的には、テストやコードレビューなどを通じて、「ソースコードが正しく、わかりやすいか」（開発側の視点）、「アプリケーションがきちんと動くか」（顧客側の視点）をチェックする。近年、ソフトウェア品質が重視されていることから、「QA エンジニア」の採用も増えている。一方、プロジェクト管理は「プロジェクトマネジメント」（「II-09」参照）の観点からプロジェクトを成功裏に完了させるための支援をする役割。大手の場合、通常、プロジェクトマネジメントオフィス（PMO）がその役割を担う。

受託開発系の組織（例）

業界別部門が中心で、大手・中堅には業務別部門も存在する

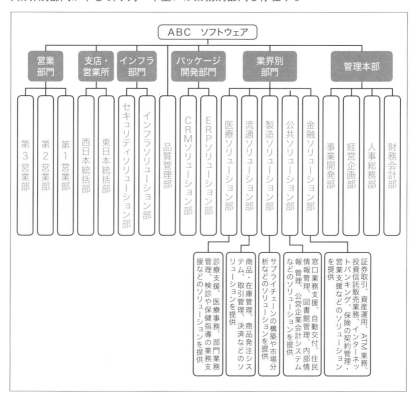

業界別部門の基本ユニット（例）

プロジェクトマネージャーをトップとするユニット

その他の部門の役割

品質管理とPMOの両輪でプロジェクトを管理

品質管理部	開発したソフトウェアとシステムの品質を管理する
PMO	システム開発プロジェクトの時間・コスト・品質を管理する
インフラソリューション部	システム開発をインフラ（ハードウェア・ネットワーク）面から支援する
セキュリティソリューション部	システム開発のセキュリティ面を支援する
東日本統括部	大都市圏以外の東日本地域におけるシステム開発を担う
西日本統括部	大都市圏以外の西日本地域におけるシステム開発を担う

41

自社開発系の組織体制は、どうなっていますか?

ソリューション別の組織になっています。

　一般に大手のソフトウェアベンダーやITサービスベンダーの組織は、製品ごとの開発部門のほか、営業部門、マーケティング部門、サポート部門などに分かれています。

　開発部門では、SAPであればERP、セールスフォースであればCRMのように、自社が強みを持つ分野のソフトウェア・サービスの開発・運用を行っています。組織では、製品あるいはサービスごとに、**プロダクトマネージャー**の下に、プログラマやインフラエンジニア、デザイナーなどで構成される基本ユニットが編成され、システムの企画、設計、開発、テスト、運用までのすべてを担当しています。新製品などの場合にはマーケティング部門からマーケターが参加して、開発前から販促プランを立てたり、パートナー企業（システムインテグレータなど）向けのイベントを企画したりします。また、営業部門では、法人営業と技術営業がパートナー企業や大手企業に売り込む役割を担います。技術営業は、主にユーザー企業から技術的な問い合わせに答え、必要な場合には現場に出向いてトラブルを解決します。

Key word

IT業界の外資系企業と日本企業

自社開発系には、マイクロソフト、SAP、グーグルなど外資系（欧米）企業が多い。外資系企業は結果さえ出せば、給与は高く、働き方の自由度も高く、責任範囲が明確など、メリットも多い。ただし、結果が出ないとクビになる可能性がある、基本的に海外で作った製品・サービスを売る役割だけを求められることが多いなどのデメリットもある。一般に、外資系企業に転職すると、その後日本企業に戻ることなく、外資系企業を転々としたり、ベンチャーに参画したり、独立したりする人が多い。なお最近は、会計や人事の分野でITサービスを提供する日本のベンチャー企業（自社開発系）も増えている。

自社開発系の業界別部門

大規模プロジェクトでは、システムインテグレータが中核的な役割を果たす

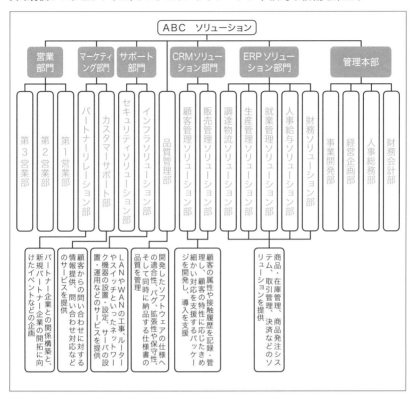

ABC ソリューション

- 営業部門
  - 第3営業部
  - 第2営業部
  - 第1営業部
- マーケティング部門
  - パートナーリレーション部
    - 新規パートナー企業の開拓に向けたイベントなどの企画
    - パートナー企業との関係構築と、新規パートナー企業の開拓に向けたイベントなどの企画
- サポート部門
  - カスタマーサポート部
    - 顧客からの問い合わせに対する情報提供、問い合わせ対応など
  - セキュリティソリューション部
  - インフラソリューション部
    - LANやWANのルーターやスイッチといったネットワーク機器の設置・設定、サーバの設置・運用などのサービスを提供
  - 品質管理部
    - 開発したソフトウェアの仕様への適合性、バグ、拡張性や保守性、品質を管理 そして同時に納品する仕様書の作成
- CRMソリューション部門
  - 顧客管理ソリューション部
    - 顧客の属性や接触履歴を記録・管理し、顧客の特性に応じたきめ細かい対応を支援するパッケージを開発し、導入を支援
  - 販売管理ソリューション部
- ERPソリューション部門
  - 調達物流ソリューション部
    - 商品・取引管理、在庫管理、商品発注システム、決済などのソリューションを提供
  - 生産管理ソリューション部
  - 就業管理ソリューション部
  - 人事給与ソリューション部
  - 財務ソリューション部
- 管理本部
  - 事業開発部
  - 経営企画部
  - 人事総務部
  - 財務会計部

ソリューション部門の基本ユニット

プロダクトマネージャーをトップとするユニット

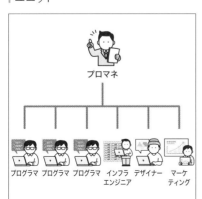

プロマネ

プログラマ　プログラマ　プログラマ　インフラエンジニア　デザイナー　マーケティング

その他の部門の役割

マーケティング部門が重要な役割を果たす

事業部	役割
品質管理部	開発したソフトウェアやサービスの品質を管理する
インフラソリューション部	ソフトウェア・サービス開発をインフラ（ハードウェア・ネットワーク）面から支援する
カスタマーサポート部	ソフトウェア・サービスのユーザーからの問い合わせに答える
カスタマーリレーション部	ソフトウェア・サービスのユーザーとの関係を管理する
パートナーリレーション部	ソフトウェア・サービスの販売パートナーとの関係を管理する

大手システムインテグレータは、どのような企業で構成されますか？

様々な業態を抱えることで、ビジネスの幅を広げています。

　大手あるいは準大手のシステムインテグレータは、通常、多様な業態のグループ会社を抱えることで、顧客の様々な要望に応えています。ただし、出自や戦略によって、強みを持つ分野は微妙に異なります。

　米ウェスタン・エレクトリック（現 アルカテル・ルーセント）との合弁会社として設立されたNECは、官公庁向けの受託システム開発、ネットワーク構築・運用に強みを持っています。富士電機の通信機器子会社として設立された富士通は、金融機関やメーカー向けの受託システム開発、サーバマシンやスパコンなどを得意とします。日立製作所の強みは、鉄道や電力といった社会インフラ向けの受託システム開発で、近年は**IoT**（「Ⅲ-31」参照）による産業・社会インフラソリューションに力を入れています。NTTのシステム部門が分離独立する形で設立されたNTTデータは、官公庁や地銀向けのソリューションを得意としており、また海外事業を伸ばしています。そして、独立系の大塚商会はシステム運用受託・アウトソーシング分野に注力することで、安定収益を上げることに成功しています。

Key word

総研系とコンサル系

　総研系とは、多くが証券や銀行などの金融機関のシンクタンクとして設立され、そのIT子会社と合併して、システム開発のサービスを提供するようになった業態。一方、コンサル系は、主に大手外資系会計事務所がIT部門を設立・買収することで、戦略、財務・会計、ITのコンサルティングサービスを提供するように

なった業態だ。前者には、野村総研（野村證券系）、大和総研（大和証券系）、日本総研（三井住友FG系）などがあり、後者には、アクセンチュア、デロイトトーマツ、PWC、アーンストヤング、KPGMなどがある。なお、IT企業もITコンサルティングファームを買収することで対抗している。

大手システムインテグレータのグループ企業
大手は様々な業態の子会社・関係会社を抱えている

	本体	受託システム開発	パッケージ・サービス	ネットワーク構築・運用	システム運営受託・アウトソーシング	ITコンサルティング	ハードウェア
富士通グループ	富士通	富士通マーケティング	富士通ピー・エス・シー	富士通テレコムネットワークス	富士通エフサス	Fujitsu Consulting	PFU、富士通フロンテック
NECグループ	NEC	NEC プラットフォームズ		NEC ネッツアイ	NEC フィールディングス	アビームコンサルティング	NEC ネットワーク・センサ
日立製作所グループ	日立製作所	日立システムズ		日立ソリューションズ		日立コンサルティング	
NTTデータグループ	NTTデータ	JSOL	NTTデータ・イントラマート	NTTデータ・カスタマサービス	NTTデータSMS	NTTデータ経営研究所	NTTデータ MSE
日本IBMグループ	日本IBM	CSOL		ISE	ISC-J		TSOL
大塚商会グループ	大塚商会	OSK			アルファネット		アルファテクノ

大手・中堅ITベンダーの出自による分類
資本分類によっても、中核事業が変わってくる

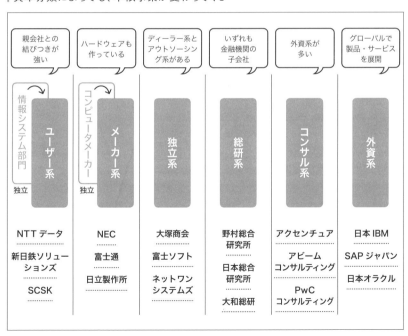

ITベンダーの売上構成は、どうなっていますか？

資本分類によって、事業区分や売上構成が変わります。

　メーカー系、**ユーザー系**、**独立系**、**コンサル系**、**外資系**では売上構成比率の傾向がかなり変わってきます。

　メーカー系の場合、ハードウェアの売上構成が一定比率を占めています。ただし、PC事業からは3社とも撤退（NEC、富士通の事業はレノボに売却）、スーパーコンピュータも富士通以外は撤退し、ネットワーク機器やインフラ機器などの売上がほとんどです。ユーザー系では、多くの場合、親会社向けの受託システム開発と運用管理の事業が売上のかなりの割合を占めています。そして独立系は、ITエンジニアの派遣やコンピュータ機器の販売から事業を開始していることが多いため、運用管理やハードウェアまたはソフトウェアの販売などの売上が高くなります。総研系では、金融機関向けのソリューションの売上比率が高く、コンサルティング事業の売上は数％程度です。またグローバルでシェアの高い製品・サービスを抱えている外資系では、ソフトウェアのライセンス売上の割合が高く、そのほか製品・サービスのサポートやコンサルティングでも売上を上げています。

Key word

メーカー系、ユーザー系、独立系、外資系

メーカー系とはハードウェアとソフトウェアの両方の事業を展開する業態。一般に、事業規模が大きい。ユーザー系とは金融機関、メーカー、商社などの情報システム部門が子会社として独立した業態。主要事業が親会社のシステム開発・運用管理であるところと、積極的に外販している企業とに分かれる。独立系とは、親会社がなく、システム開発に置いて比較的自由にソフトウェアやハードウェアを選択でき、多くが営業力や技術力などに強みを持つ業態。そして外資系は、欧米系ITメジャーの日本子会社である。多くが、ERPやCRM、データベースやOSなどで世界的にシェアの高い製品・サービスを持っている。

メーカー系の売上構成
ハードウェア系の事業が一定の割合を占める

NEC
①パブリック（官公庁向け SI）33%
②エンタープライズ（民間企業向け SI）15%
③ネットワークサービス（インフラ）13%
④システムプラットフォーム（ハードウェア、運用管理）19%
⑤グローバル（海外）15%
⑥その他 5%

富士通
①テクノロジーソリューション（システム開発）71%
②ユビキタスソリューション（携帯・IoT）16%
③デバイスソリューション（電子部品）13%

日立製作所
①情報・通信システム（SI）21%
②社会・産業システム（鉄道・社会インフラ）25%
③電子装置・システム（半導体製造装置・医療機器）9%
④建設機械 10%
⑤高機能材料（化学・金属）17%
⑥オートモーティブシステム（車載システム）10%
⑦生活・エコシステム（家電）3%
⑧その他 5%

ユーザー系の売上構成
親会社向けサービスの売上が一定割合を占める

NTTデータ
①公共・社会基盤（官公庁・医療・通信・電力）20%
②金融 23%
③法人・ソリューション（製造・流通・サービス）22%
④北米 17%
⑤EMEA（欧州・中東・アフリカ）・中南米 18%

SCSK
①システム開発 38%
②保守運用・サービス 38%
③システム販売（電子部品）23%
④プリペイドカード 1%

電通国際情報サービス
①金融ソリューション 42%
②ビジネスソリューション（ERP）23%
③エンジニアリングソリューション（製造業向け）15%
④コミュニケーション IT（電通向け）20%

独立系の売上構成
創業当初のビジネスが売上の多くを占めることが多い

大塚商会
①システムインテグレーション 61%
②サービス＆サポート 39%

富士ソフト
①システム構築（組込・制御系）31%
②システム構築（業務アプリ）29%
③プロダクト・サービス（ライセンス販売）31%
④アウトソーシング 8%
⑤ファシリティ（オフィスビル賃貸）1%

ネットワンシステムズ
①パブリック（官公庁）35%
②エンタープライズ 29%
③SP（通信事業者向け）19%
④パートナー 17%
⑤その他 0%

総研系、外資系の売上構成
コンサル系でも売上はSIの比率が高く、外資系はパッケージソフトの売上比率が高い

野村総合研究所
①コンサルティング 5%
②金融 IT ソリューション 45%
③産業 IT ソリューション 30%
④IT 基盤サービス 20%

日本ユニシス
①システムサービス（システム開発）33%
②サポートサービス（運用管理）19%
③アウトソーシング 14%
④ソフトウェア 12%
⑤ハードウェア 19%
⑥その他 3%

日本オラクル
①クラウド＆ライセンス（DB・ERP）80%
②ハードウェアシステムズ（サーバ・ストレージ）9%
③サービス（コンサル・サポート）11%

主要なパッケージ・サービスには、何がありますか?

業務系は徐々に、サービスがパッケージを代替しています。

　情報システムは、様々な**基本ソフト**、**ミドルウェア**、**パッケージソフト**や**ITサービス**をインフラ上で組み合わせることにより開発されます。基本ソフトとは、サーバやクライアント端末のオペレーティングシステム（OS）です。現在、主要なサーバOSではWindows Server、Linuxのシェアが高くなっています。ミドルウェアとはデータベース、Webサーバ、アプリケーションサーバなどのソフトウェアです。ミドルウェアを提供する主要ベンダーはオラクル、IBM、マイクロソフトです。それぞれ、データベースではOracle、SQL Server、MySQL、WebサーバではInternet Information ServicesやApache Tomcat、アプリケーションサーバではWeb SphereやWebLogic Serverのシェアが高くなっています。業務アプリケーションとは、基幹システム、業務支援システム、Webシステムを構築するためのソフトウェアやサービスです。基幹システムではSAPやオービック、富士通や大塚商会など、業務支援システムではSAPやオラクル、マイクロソフトやサイボウズ、SASなどが有力です。

Key word

パッケージソフトとITサービス

パッケージソフトからITサービスに切り替えるユーザー企業が増えている。理由は、運用の手間だ。つまり、パッケージソフトの場合、業務アプリケーションを運用管理するのはユーザー企業だ。一方、ITサービスの場合、アプリケーションの運用管理はサービスベンダーが担い、ユーザーは利用するだけでいい。初期導入コストも下がり、すぐに利用を開始でき、ネットの向こう側でアップグレードしてくれるので、つねに最新版を利用できる。ただし、デメリットは、ITサービスの場合にはカスタマイズが難しいことだ。ただカスタマイズは、パッケージのアップグレード時にボトルネックとなるので、メリットにもなり得る。

主要なパッケージソフト・サービス
最近では、RPAのパッケージやサービスが注目を集めている

大分類	小分類	主要なソフトウェア	主要なサービス
基本ソフト	クライアントOS（スマホ・タブレット）	iOS、Android、Windows mobile	AWS、Windows Azure、GoogleAppEngine
	クライアントOS（PC）	Windows、MacOS、ChromeOS	
	サーバOS	Windows Server、Linux、UNIX、BSD	
ミドルウェア	データベース	Oracle、SQL Server、DB2、MySQL、PostgreSQL、Access	
	Webサーバ	Internet Information Services、Apache Tomcat	
	アプリケーションサーバ	WebSphere、WebLogic Server	
基幹系システム	ERPシステム	SAP ERP、 奉 行 V ERP、GLOVIA、SAP Business One、SMILE、COMPANY、ProActive	EXPLANNER for SaaS、ProActive for SaaS、SAP HANA、NetSuite
	SCMシステム	SAP SCM、Oracle Supply Chain Management、SCPLAN、GLOVIA/SCP	SAP Integrated Business Planning、Business b-ridge
	会計システム	勘定奉行、弥生会計、PCA 会計、財務大将	Freee、ネット de 会計、MF クラウド会計・確定申告
	人事管理システム	人事奉行、SMILE、POSITIVE、GLOVIAsmart、SCAW 人事管理システム	Cultiiva Global/HM、huubHR、Workday
	販売在庫管理システム	蔵奉行、弥生販売、SMILE BS	glan system、SKit FLEXi
	生産購買管理システム	GLOVIAsmart 製造、EXPLANNER/J、OBIC 生産管理	EXPLANNER for SaaS、
業務支援＆データ分析系システム	CRMシステム	SAP CRM、Dynamics CRM、Oracle CRM	SalesCloud、Synergy!
	SFAシステム	e セールスマネージャー、サイボウズドットセールス、Siebel Sales	e セールスマネージャー・クラウド、Sales Cloud、Sales Force Assistant
	プロジェクト管理システム	Microsoft Project、TimeTracker FX、BeingManagement	Clarizen、uRedmine、ProjectMeister
	KMシステム	サイボウズデヂエ、NEC Information Assessment System、Senju Service Manager	OKBizAnswer、kintone、HOT Knowledge
	グループウェア	サイボウズガルーン、ノーツ、マクロソフトエクスチェンジ	GoogleApps、サイボウズオフィス ASP
	データ分析システム	SAS Visual Analytics、RapidMiner、NYSOL、Revolution R Enterprise	InfoCabina Cloud BI、見える化エンジン
インターネット＆セキュリティ系システム	CMS	WordPress、Movable Type、ZOOPS、Drupal	TypePad、akibare CMS、blogger
	EC 構築システム	ECCube、EC-Orange、ZenCart、osCommerce	楽天、Yahoo shopping、カラミーショップ、Amazon
	ログ解析システム	Visionalist、Webconductor、WebTrendsAnalytics	GoogleAnalytics、OmnitureSiteCatalyst
	セキュリティ管理システム	ウイルスバスター、ノートン、ウイルスセキュリティ、Kaspersky、マカフィーインターネットセキュリティ	McAfee SaaS、ウイルスバスター ビジネスセキュリティサービス、Trend Micro Security as a Service

ITベンダーは、どのように売上をあげているのですか？

業態によって、売上を上げる仕組みは変わってきます。

　受託開発系の場合、通常、情報システムの受託システム開発と運用管理受託という2種類の売上をあげます。受託システム開発による売上は、下請け（**準委任型**）では「人数×人月単価×月」となるのに対して、元請け（**請負型**）ではユーザー企業と**請負型契約**（「II-18」参照）時に提出した受注金額となります。受注金額の項目は通常、ハードウェア費、パッケージソフト費、システム開発費などで、システム開発費はさらに要件定義費、設計費、プログラミング費、テスト費、導入費、指導費などに分けられます。一方、運用管理受託による売上は「月額費用×月」であり、さらにハードウェアとソフトウェアの保守費用、運用サービスの委託費用に分類されます。

　一方、自社開発系の場合、パッケージソフトウェアでは「ライセンス料×ライセンス数」が売上になるのに対して、サービスの売上は「月額利用料×利用者数×月」となります。企業ユーザー向けのライセンス価格や月額利用料は一般に、利用者数や契約期間、契約条件などによって、様々なパターンが設定されます。

Key word

人月単価と1円入札

　人月単価とは、ITエンジニアが1人1ヶ月間、システム開発プロジェクトに従事したときに請求する金額だ。通常、単価テーブルというエンジニアの価格表を設定し、それに基づいて費用を見積る（通常、景気や状況に応じて単価テーブルは定期的に改訂される）。ただし、個人のスキルによって開発効率が変わるた

め、一概に期間で見積ることに批判も多い。また官公庁や地方自治体の情報システムの場合、かかった費用にかかわらず、1円など極めて低い金額で入札するシステムインテグレータも多かった（1円入札）。これは受注による広告効果、運用管理受託や機器販売による利益確保を狙ったものである。

受託開発系IT企業の売上
受託開発は基本、請負型と準委任型に分類される

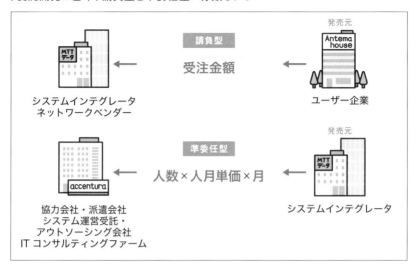

受託開発の人月単価 (例)
人月単価は、IT人材不足によって、最近やや上がっている

分類	大手 IT 企業	中小 IT 企業	役職例	備考
超上級SE	180〜200万円	120〜140万円	部長	専門技術を有した SE、プロマネ
上級SE	140〜160万円	100〜120万円	課長	顧客との折衝を行えるプロマネ
中級SE	100〜120万円	80〜100万円	主任	数員程度の SE やプログラマをとりまとまえるサブリーダー
初級SE	60〜80万円	60〜80万円	平社員	個別機能のシステム設計や開発を行う SE

自社開発系IT企業の売上
ライセンス数や利用者数＝普及度によって、売上が決まってる

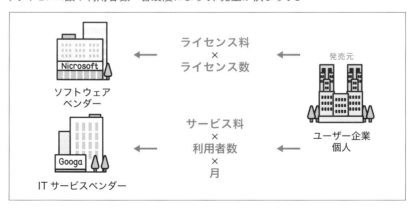

ITベンダーには、どのような
コストが発生しますか?

外注費と人件費が、経費の大部分を占めています。

IT企業の経費において、最も大きな割合を占めるのは人にかかわる費用ですが、「誰に支払うか」の考え方は受託開発と自社開発ではかなり異なります。

一般に、システム案件の受注状況によって繁忙期と閑散期が発生するシステムインテグレータの場合には、開発スタッフの多くを外部から調達して、受託システム開発のプロジェクトを回しています。そのため、協力会社への外注費である**委託費**の割合が売上原価において高い割合を占めるのです。

一方、自社開発型のソフトウェアベンダーやサービスベンダーは、基本的に自社のエンジニアが製品やサービスを開発しています。そのため売上原価において、社員の人件費である**労務費**の割合が高くなります。

なお、受託システム開発における外注と社内の人数比率は、プロジェクトの規模や種類などによって変わりますが、一般に外注が7～8割程度と言われています。

Key word

協力会社、SES、プロパー、客先常駐

「協力会社」とは、受託システム開発における下請け企業のこと。元請け会社は一般に「プロパー」と呼ばれる。通常、協力会社は、「システムエンジニアリングサービス（SES）」と呼ばれる準委託契約を元請け企業と結んで、自社で雇用しているITエンジニアを元請け企業に派遣して常駐させる（客先常駐）。SESで契約すると、「請負契約」と異なり、協力会社は人月単位で請求することになる（「月○○時間～●●時間までの稼働に対して◎◎万円」のように可動時間に幅がある）。なお本来、SESでは指揮命令系統が協力会社側になくてはならないが、実際には、派遣先企業にあることがほとんどだ。

売上原価としてかかる経費
受託開発系と自社開発系では、委託人労務費の比率が大きく変わる

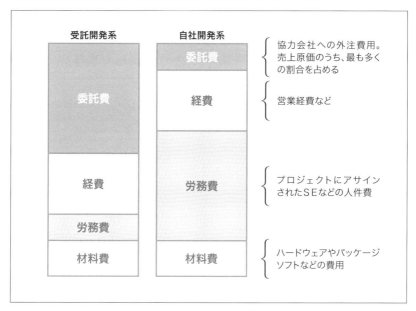

販売費及び一般管理費
販売費及び一般管理費では、受託開発系も自社開発系もあまり違いがない

受託開発系と自社開発系

人件費	社員や役員の給与や手当、退職給付費用など。最も多くの割合を占める
事務委託費	外部の事業者に業務委託している費用
不動産賃借料	施設や土地を借りている場合にかかる家賃・地代
福利厚生費	労働保険、社会保険、その他福利厚生費
教育研修費	社員研修などにかかる費用
その他	旅費・交通費、設備のリース料、税金など

ITベンダーの収益構造は、どうなっていますか？

受託開発系は業態で利益率が大きく変わります。

　ITベンダーの利益は前述の売上から経費を差し引くことで計算されますが、利益率はビジネスモデルによって異なります。

　受託開発系の利益率とリスクは、担当するフェーズによってかなり変わります。売上が高いのは内部設計・開発・導入フェーズですが、リスクも高く、利益率は高くありません。一方、要件定義・外部設計フェーズは、売上が低いものの、リスクも低く、利益率は高くなります。そして運用管理フェーズは、リスクが低く、ある程度の売上と利益率を確保できます。通常、受託開発系のITベンダーはこれらをうまく組み合わせることで、リスクを抑えつつ売上と利益を確保しています。

　一方、自社開発系の利益率は、製品やサービスが当たって損益分岐点を超えれば、非常に高い利益率の確保が可能になります。たとえば、DBソフトなどで高いシェアを誇る日本オラクルは、約30%という極めて高い利益率を確保しています。ただし自社開発型の場合には、まったく市場から評価されずに消えていく製品やサービスも珍しくはありません。

Key word

IT予算とIT予算比率

　IT予算とは、情報システムに使う費用のこと。通常は年単位で立てられ、当該企業の売上の1%程度（IT予算比率）だ（ただし、IT予算比率は金融業界では8%弱なのに対して、建設・土木業界では0.5%程度と業態によってかなり差がある）。日本国内のIT予算総額は8兆円前後で、大手企業が4兆円、中堅・中小企業が2兆円、国・自治体が2兆円程度。ある意味、IT企業はこの予算を巡って、競合他社と競争していると言えるだろう。ただし、現在、IT予算の8割が既存の情報システムの運用管理やバージョンアップなどに使われており、新規開発は2割程度。そのため、新規案件ではITベンダーがしのぎを削る。

受託開発系ITベンダーの収益構造

担当するプロセスによって、売上、利益率、リスクが大きく変わってくる

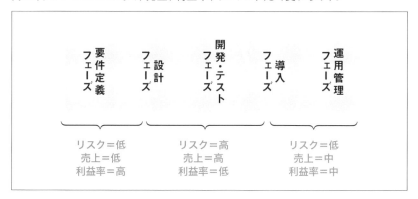

要件定義フェーズ　設計フェーズ　開発・テストフェーズ　導入フェーズ　運用管理フェーズ

リスク=低
売上=低
利益率=高

リスク=高
売上=高
利益率=低

リスク=低
売上=中
利益率=中

自社開発系ITベンダーの収益構造

損益分岐を超えると、一気に利益率が高くなる

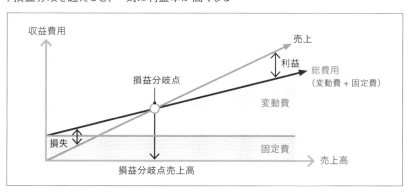

収益費用

売上

利益

総費用
（変動費＋固定費）

損益分岐点

変動費

損失

固定費

売上高

損益分岐点売上高

業態別ITベンダーの利益率 (例)

実際、業態によって売上利益率にかなり差がある

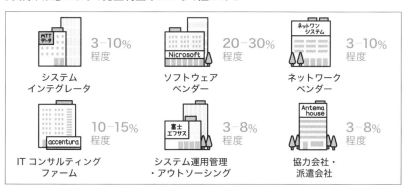

システムインテグレータ	ソフトウェアベンダー	ネットワークベンダー
3–10% 程度	20–30% 程度	3–10% 程度

ITコンサルティングファーム	システム運用管理・アウトソーシング	協力会社・派遣会社
10–15% 程度	3–8% 程度	3–8% 程度

ITベンダーでは、どのような職種が どのような役割で働いていますか?

開発・運用、営業・マーケ、技術支援などの職種があります。

　ITベンダーで働く職種は、大きく3つの役割に分けられます。すなわち、ソフトウェアの開発や運用管理を担当する「開発・運用系のスタッフ」、ソフトウェア・ITサービスを提案営業したり、販売支援したりする「営業・マーケティング系のスタッフ」、そしてソフトウェア開発における様々な課題を解決することで、開発を支援する「その他のスタッフ」です。開発・運用を担当するスタッフ、その他スタッフのうち、**プロジェクトマネジャー**（PM）や**プロダクトマネージャー**やSEは開発プロジェクトを管理する役割、**プログラマ**はソフトウェを開発する役割、**ITコンサルタント**はシステムを利用した経営・業務改革を提案・実行する役割、**インフラエンジニア**は最適なシステムを構築・運用・改善する役割、**ITスペシャリスト**は専門技術を研究し、現場にフィードバックする役割を担っています。なお、インフラエンジニアはサーバ、ネットワーク、データベースなど、ITスペシャリストはソフトウェア、インフラ、セキュリティなど、ITコンサルタントはERP、SCM、CRM、業務などの専門分野を持っています。

Key word

データサイエンティスト、SRE、エバンジェリスト

　ここ10年で、IT業界にはこれまでになかった職種が現れた。その筆頭がデータサイエンティストとSREだ。データサイエンティストは「統計学や機械学習を用いてデータを分析することで、何らかの価値を生み出す」職。具体的には、ビッグデータや人工知能の活用を図る。一方、SREとはWebアプリの性能改善、拡張性の安定性の向上などを図る役割だ。グーグルやフェイスブックでは、職種として採用されている。そして、IBMやマイクロソフトなどに設置されたエバンジェリストは、新しい技術や製品・サービスなどをユーザーや社内にわかりやすく伝える役割を担う。主な活動は、プレゼン、セミナー、情報発信だ。

開発・運用系のスタッフ
ソフトウェアの開発とシステムの運用を支援する

ＩＴベンダー

プロジェクト
マネージャー　　プロダクト
マネージャー　　SE　　プログラマ　　運用管理担当

営業・マーケティング系のスタッフ
システムを提案し、ソフトウェア・サービスの販売を支援する

ＩＴベンダー

営業課長　　営業　　セールス
エンジニア　　マーケティング

その他のスタッフ
ソフトウェアの開発における技術課題を解決することで、開発を支援する

ＩＴベンダー

インフラ
エンジニア　　スペシャリスト　　IT
コンサルタント　　デザイナー

ユーザー企業のスタッフ
ユーザー企業において、システムの導入・運用を支援する

ユーザー企業

CIO　　情報システム
部長　　情報システム
担当　　業務担当

開発・運用系のスタッフには、どのようなキャリアがありますか?

受託開発系と自社開発系で、進むキャリアが変わってきます。

　受託開発系では、開発・運用系のスタッフは通常、一定期間の研修の後、プログラムのテスト、運用管理やプロジェクト管理の補佐などの業務に就くことになります。ある程度現場で経験を積んだら、通常は、プログラムの設計や開発、システムの導入や運用管理を任されます。さらに経験を積むと、次第に提案や要件定義といったシステム開発の**上流工程**を手がけるようになり、その後、プロジェクトマネジャー、IT コンサルタント、インフラエンジニア、IT スペシャリストなどのキャリアへ進みます。

　一方、自社開発系では、開発・運用系のスタッフは当初からプログラマやインフラエンジニアとして採用されます。そのまま、その道の専門家としてのキャリアを選ぶ人もいれば、プロダクトマネージャーとして IT エンジニアをマネジメントする役割を選ぶ人、IT スペシャリストとして専門技術を研究し、現場にフィードバックする役割を選ぶ人もいます。なお最近、IT サービス分野で起業している多くは、自社開発系の IT ベンダーでスキルを磨いた人たちです。

Key word

SEとプログラマ

　受託開発系と自社開発系の大きな違いは、受託開発系ではソフトウェアの開発を基本的に外注しているために SE の主たる役割が要件定義や設計、プロジェクトや外注の管理であるのに対して、自社開発系ではプログラマが自らプログラムを書いてソフトウェアを開発している点である。当然、求められるスキルが大きく変わる。SE はプログラムをまったく書かない人も珍しくない一方、外資系自社開発系には、大学でコンピュータサイエンスを専攻していた人が珍しくない。つまり、コンピュータの動作原理についての深い知識を持っているのだ。これが、IT 分野における日米の格差を生んでいるのかもしれない。

受託開発系における開発・運用系スタッフのキャリア

マネジメント系のキャリアが中心だが、最近、技術系のキャリアも増えてきた

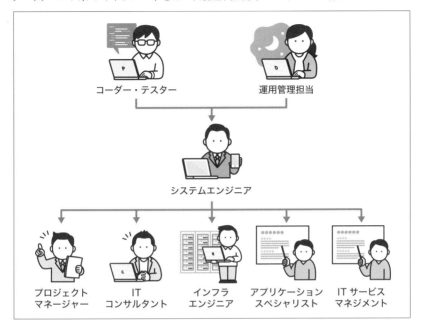

自社開発系における開発・運用系スタッフのキャリア

技術系のキャリアを進む人が多く、マネジメント系のキャリアを進む人はあまり多くない

営業・マーケ系のスタッフには、どのようなキャリアがありますか?

受託開発系は営業、自社開発系はマーケに進みます。

　ITベンダーにおける営業は、顧客に対してシステムやソフトウェアを提案する業務です。最近は**ソリューション営業**というキーワードの下、顧客の業務課題をシステムによって解決するアプローチでの提案が求められています。営業マンは、一定期間ごとに設定された営業目標(ノルマ)を達成するなど実績を上げると、通常、マネジメントとしてのキャリアを選択するか(**セールスマネジメント**)、業務知識を活かす(**コンサルティングセールス**)、ITの知識を活かす(**セールスエンジニア**)、メディアで情報発信して自らの価値を高める(**メディア利用型セールス**)など、より高度な営業としてのキャリアを選択することになります。一方マーケティングは、基本的に、販促プランの計画と実施、イベントの運営、メディアとの関係づくりとPRなどにより、製品やITサービスの販売を支援します。一定の経験を積んだ後、マネジメントとしてのキャリア(**マーケティングマネジメント**)のほか、業務知識を活かす(**マーケティングコンサルタント**)、チャネル戦略を立てる(**販売チャネル戦略**)などのキャリアを選ぶことになります。

Key word

歩合制とインセンティブ

　日本IBMや日本NCRなどの外資系では、かつて営業マンに対してコンピュータの売上ベースで給与を支給していた。このように、IT業界には歩合制(実績に応じた給与)やインセンティブ制度(基本給＋インセンティブ)の給与体系を採用する会社もある。インセンティブの額は通常、商材によって5～20％程度とかなり幅があり、会社によって基本給とインセンティブの比率も変わる。そのため、実績に応じて、同じ年齢でも営業マンの年収は倍以上違うケースも珍しくない。売上は当然、市場における製品・サービスの競争力によって変わる。そのため自社の競争力が落ちれば、営業マンは転職を検討する。

IT企業における営業系スタッフのキャリア
いずれも業務課題のITによる解決を提案する

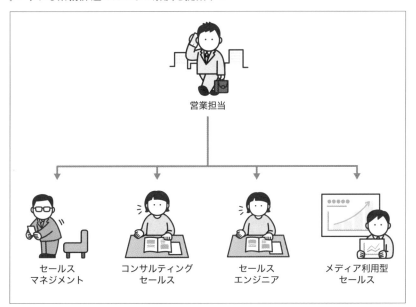

IT企業におけるマーケティング系スタッフのキャリア
自社の製品・サービスの利点を潜在・顕在ユーザーに売り込む

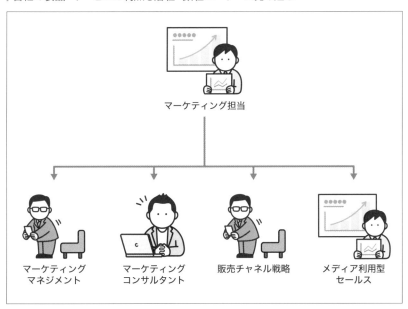

ITベンダーの採用状況は、どうなっていますか？

IT人材不足で、積極的に採用しています。

　ITベンダーの採用は、受託開発系と自社開発系で異なります。ITエンジニアの採用は、受注開発型企業ではプログラミング未経験者も対象ですが、自社開発型企業は基本、一定以上のスキルを持った人が対象です。また自社開発系は、営業系の新卒採用が少なく、経験者の中途採用を重視しています。大手受託開発系の採用は例年、数百人規模で、採用の中心は、ITエンジニアが全体の7割、営業職採用は全体の2割程度です。ITエンジニアの採用では、独自の試験を実施するところも多く、外資の自社開発系は**コーディング試験**や電話面接、**オンサイト面接**を実施するなど、ITエンジニアとしてのスキルを厳しくチェックします。仕事の生産性が、ITエンジニアの能力によって大きく左右されるIT業界では総じて給与は高目に設定されています。ただし、給与は一般に企業の規模に比例し、2次請けや3次請けの中小企業は低くなります。なお、外資系ベンダー、ITコンサルティングファームなどには、優秀な人材を確保するために、飛び抜けて高い給与やストックオプションを設定する企業もあります。

Key word

自社株付与制度とストックオプション制度

　マイクロソフト日本法人の初期スタッフには、本社のストックオプションが設定されていたため、米国マイクロソフトが株式公開した際、数億円規模の資産を手にした人もいたそうだ。このように、優秀な社員には多くの株式を複数年付与したり（自社株付与）、自社株をあらかじめ決めた価格で購入できる権利を与えたり（ストックオプション）する制度を導入する企業は、外資系には珍しくない。ただし、ストックオプションを行使した社員が儲かるのは、企業の株価が上昇したときだけ。つまり急成長している企業に株式公開前に入社しない限り、残念ながらストックオプションで大儲けするのは難しい。

IT企業の採用コース（例：受託開発系の日本企業）
研究職を除き、大学における専攻はあまり重視されない

ITエンジニアの選考プロセス（例：自社開発系の欧米企業）
とにかく、ITのスキルを徹底的に見る

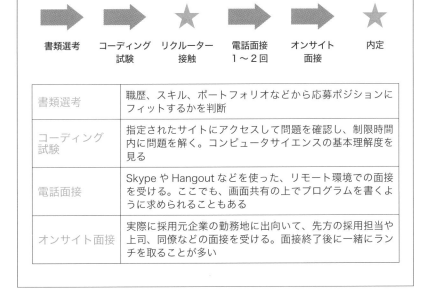

63

IT業界における転職状況は、どうなっていますか?

スキルと経験を積めば、転職は比較的容易です。

　今後、IT人材が数十万人規模で不足すると見込まれていることもあり、IT業界では転職が比較的容易です。特にITエンジニアは転職求人倍率が他の職種として比較しても非常に高く、最も人数が多いシステムインテグレータからの転職先としても他のシステムインテグレータのほかに、ソフトウェアベンダー、ITサービスベンダー、ITコンサルティングファーム、Webやアプリの制作会社、ユーザー企業（情報システム部門）など、様々な選択肢が存在します。

　ただし、IT業界で転職を成功させるには、自ら学ぶ姿勢が強く求められるでしょう。つまり、言われたことだけをやっているのではなく、今後求められる分野、アサインされる可能性のある分野、自分の可能性を広げられる分野などの知見を学び、経験できるプロジェクトに積極的に参画するのです。

　ITエンジニアに求められるスキルは職種によってかなり変わります。転職を成功させるには、目指す方向を30代前半頃までに決め、計画的にスキルを身に付け、経験を積む必要があるのです。

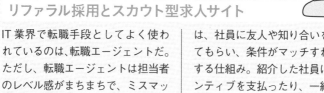

Key word

リファラル採用とスカウト型求人サイト

　IT業界で転職手段としてよく使われているのは、転職エージェントだ。ただし、転職エージェントは担当者のレベル感がまちまちで、ミスマッチも起こりやすい。また求人側にも転職者年俸の20～30%の費用がかかる。そのため最近は、リファラル採用やスカウト型求人サイトの利用が増えている。リファラル採用は、社員に友人や知り合いを紹介してもらい、条件がマッチすれば採用する仕組み。紹介した社員にインセンティブを支払ったり、一緒に食事する費用を会社が負担したりする制度が併設されていることも多い。また、スカウト型求人サイトは登録しておくと、興味を持ったヘッドハンターや企業からメールが届く。

職種別の転職求人倍率

他の職種と比較して、ITエンジニアの転職求人倍率は高くなっている

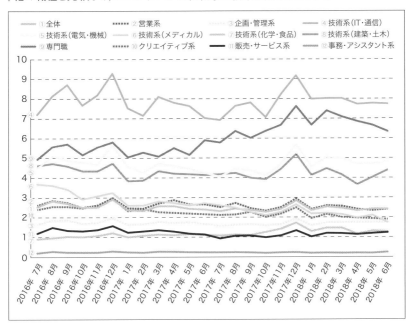

転職市場において求められるスキル・知識

ITエンジニアに求められるスキルは、職種によってかなり変わる

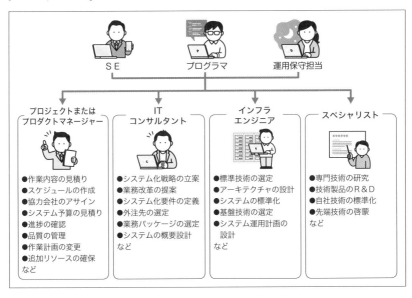

IT関連の国家資格には、何がありますか?

情報処理推進機構が提供・運用しています。

　IT関連の国家資格としては、経済産業省が認定し、**情報処理推進機構**（IPA）が実施する**情報処理技術者試験**があります。

　情報処理技術者試験として実施されているのは、ベンダー企業のSEに情報システム一般の知識を問う**基本情報技術者**と応用知識を問う**応用情報処理技術者**、経験を積んだベンダー企業のSEに職種ごとの知識を問うITストラテジスト、システムアーキテクト、プロジェクトマネージャ、ネットワークスペシャリスト、データベーススペシャリスト、エンベデッドシステムスペシャリスト、ITサービスマネージャ、システム監査技術者のほか（この8つは**高度情報処理技術者**と呼ばれる）です。このほか、ユーザー企業の情報システム担当者などにシステムを利活用する知識を問う資格として、ITパスポートや情報セキュリティマネジメントがあります。

　なお、サイバーセキュリティ分野の国家資格として、**情報処理安全確保支援士**が新たに設けられています（情報処理技術者試験から独立した資格だが、レベルは高度情報処理技術者と同じレベル4）。

Key word

情報処理推進機構と経済産業省

　情報処理推進機構（IPA）とは、経済産業省所管の独立行政法人。経済産業省が、日本のソフトウェア分野における競争力強化を狙って、2004年に設立した。IPAでは、「情報セキュリティ対策の実現」「IT人材の育成」「IT社会の動向調査・分析・基盤構築」という3つの事業を行っている。このうち、特に有名なのが、2000年度から「未踏ソフトウェア創造事業」として開始され、「未踏IT人材発掘・育成事業」として実施されている「未踏事業」だ。未踏事業では現在、「IT人材発掘・育成事業」「未踏アドバンスト事業」「未踏ターゲット事業」という3つのプロジェクトで、天才プログラマを発掘している。

IT関連の国家資格

以前に比べて、受験者数は減ったが、いまだに情報処理試験の信頼性は高い

体系	名称	認定者	対象者	実施元
情報処理技術者試験	ITパスポート	基礎知識をもち、情報技術に携わる業務に就く、あるいは担当業務で情報技術を活用することが可能である者	PG、運用担当、情シス担当など	IPA
	情報セキュリティマネジメント	情報セキュリティポリシーに準拠したシステムの企画・要件定義・開発・運用保守を主導する者	情報システム担当者など	IPA
	基本情報処理技術者	情報技術全般に基本的知識・技能をもち、実践的活用能力を身に付いている者	PG、運用担当、情シス担当など	IPA
	応用情報処理技術者	高度IT人材に必要な応用的知識・技能をもち、方向性を確立している者	PG、運用担当、SEなど	IPA
	ITストラテジスト	企業の経営戦略に基づき、企業活動で情報技術を活用し、基本戦略を策定・推進する者	ITコンサルなど	IPA
	システムアーキテクト	システム開発に必要な要件を定義し、その構造を設計し、開発を主導する者	インフラエンジニアなど	IPA
	プロジェクトマネージャ	開発プロジェクトの責任者として、計画立案、要員・資源の確保、予算・納期・品質の達成を管理する者	PMなど	IPA
	ネットワークスペシャリスト	ネットワークの専門家として、システムの企画・要件定義・開発・運用保守において技術支援を行う者	ITスペシャリストなど	IPA
	データベーススペシャリスト	データベースの専門家として、システムの企画・要件定義・開発・運用保守において技術支援を行う者	ITスペシャリストなど	IPA
	エンベデッドシステムスペシャリスト	組込みシステムの専門家として、基盤構築やシステムの設計・構築・製造を主導する者	ITスペシャリストなど	IPA
	ITサービスマネージャ	システムの安定稼働を確保し、そのための改善・品質管理・安全性や信頼性の向上を主導する者	ITスペシャリストなど	IPA
	システム監査技術者	システムのリスクやコントロールを総合的に点検・評価し、監査結果を報告し改善を勧告する者	ITスペシャリストなど	IPA
情報処理安全確保支援士試験	情報処理安全確保支援士	サイバーセキュリティに関する専門的な知識・技能を活用して企業や組織における安全な情報システムの企画・設計・開発・運用を支援し、また、サイバーセキュリティ対策の調査・分析・評価を行い、その結果に基づき必要な指導・助言を行う者	ITスペシャリストなど	IPA

IT関連のベンダー資格には、何がありますか?

以前に比べると、ベンダー資格の影響力は弱まっています。

　IT 関連の資格には、民間団体や企業が独自の審査基準に基づいて実施・認定する**民間資格**と、民間資格のうち自社の製品・技術の水準を認証する**ベンダー資格**もあります。IT 関連の民間資格のうち、多くの IT 事業者やユーザー企業において取得が推奨されているのは、.com Master、LPIC、PMP、ITIL です。.com Master は業務を遂行する上で最低限必要となる IT の知識、ITIL は経営に役立つシステムを運用管理するために必要な知識をユーザー企業の情報システム担当や業務担当者などに問う資格です。一方、LPIC は Linux に関する知識やスキル、PMP はプロジェクトを計画、実行、管理する上で必要な知識やスキルを主にベンダー系のエンジニアに問う資格です。一方、IT 関連のベンダー資格として人気があるのは、オラクルのデータベース技術者を認定するオラクルマスター、Java 技術者を認定する Java プログラマ、シスコのネットワーク機器の技術者を認定する CCNA、マイクロソフトの技術者を認定する MCP、AWS を利用する技術者を認定する AWS 認定資格などで、それぞれランクが設定されています。

Key word

アマゾン ウェブ サービスとAWS認定資格

アマゾン ウェブ サービス（AWS）とは、アマゾン社内のビジネス課題を解決するために生まれた IT インフラのノウハウをベースに開発されたクラウドサービスだ。必要なときに必要なだけ、低価格で IT リソースを利用できるため、利用が広がっている。AWS を利用する技術者を認定しているのが AWS 認定資格。AWS 認定資格には、基礎知識を問う「クラウドプラクティショナー」、実務経験 1 年以上の人向けの「ソリューションアーキテクト」「デベロッパー」「SysOps アドミニストレーター」（アソシエイト資格）、実務経験 2 年以上の人向けのプロフェッショナル資格、そして高度な専門知識を問う専門資格がある。

IT関連のベンダー資格
最近は、LINUXやAWS関連の資格に人気が集まっている

体系	名称	認定者	対象者	実施元	種類
ORACLE (DB) 系 (Oracle Master)	Bronze	オラクルデータベースの管理者として管理業務を行う上で最低限の知識を有している者	PG、運用担当、情シス担当など	オラクル	ベンダー資格
	Silver	オラクルデータベースの技術者として管理業務を行う基礎知識を有している者	PG、運用担当、SE など	オラクル	ベンダー資格
	Gold	オラクルデータベースによるシステムの構築・リカバリ・チューニングなどの専門知識を有している者	IT スペシャリストなど	オラクル	ベンダー資格
	Platinum	構築・リカバリ・チューニング・トラブルシューティングなどの高度な専門知識と豊富な経験を有している者	IT スペシャリストなど	オラクル	ベンダー資格
ORACLE (Java) 系 (Java プログラマ)	Java Programmer Bronze	Java 言語の基本文法とオブジェクト指向プログラミングの基本を理解している者	PG など	オラクル	ベンダー資格
	Java Programmer Silver	Java プログラミングに必要とされる仕様の詳細を理解している者	PG など	オラクル	ベンダー資格
	Java Programmer Gold	Java によるシステムの設計から実装までの包括的なスキルが身に付いている者	PG、IT スペシャリストなど	オラクル	ベンダー資格
CISCO 系 (CCNA)	CCENT	エントリーレベルのネットワークサポート担当者に要求される技能を備えている者	運用担当、情報システム担当など	シスコ	ベンダー資格
	CCDA	シスコ統合ネットワークの設計に関する知識を有する者	運用担当、インフラエンジニアなど	シスコ	ベンダー資格
	CCDP	ネットワークの設計の概念と法則に関する高度かつ豊富な経験に基づいた知識を有する者	インフラエンジニアなど	シスコ	ベンダー資格
	CCDE	ビジネスニーズや予算・運用上の制約などを踏まえて最適な大規模ネットワーク構築が可能なスキルを備えた者	インフラエンジニアなど	シスコ	ベンダー資格
	CCAr	ビジネス目標をサポートできるネットワークの技術仕様の作成が可能な者	IT スペシャリストなど	シスコ	ベンダー資格
	CCIE	ネットワークの計画・準備・運用・監視・トラブルシューティングに必要なエキスパートレベルのスキルを有する者	IT スペシャリストなど	シスコ	ベンダー資格
MS 系 (MCP)	MCSA	マイクロソフトのコアプラットフォームに関する専門スキルを持つ者	PG、運用担当、SE など	マイクロソフト	ベンダー資格
	MCSE	クラウドへの移行を進める組織において必要な専門スキルを持つ者	PG、運用担当、SE など	マイクロソフト	ベンダー資格
	MCSD	マイクロソフトの技術を利用したアプリケーション開発のスキル・専門知識を持つ者	PG、SE など	マイクロソフト	ベンダー資格
	MCSM	オンプレミスとクラウド環境が複合するハイブリッドな環境について深い専門知識を持つ者	SE、インフラエンジニアなど	マイクロソフト	ベンダー資格
	MCTS	マイクロソフトの特定技術に関する詳細な専門知識とノウハウを持つ者	インフラエンジニア、IT スペシャリストなど	マイクロソフト	ベンダー資格
	MCITP	マイクロソフトの技術を利用したシステムのサポートや運用管理に関する知識と職務遂行能力を持つ者	運用担当、情報システム担当など	マイクロソフト	ベンダー資格
	MCPD	マイクロソフトの技術を利用したシステムの開発に関する知識と職務遂行能力を持つ者	PG、SE など	マイクロソフト	ベンダー資格
	MCT	マイクロソフトの技術や製品・ソリューションを教育するために必要な知識と職務遂行能力を持つ者	IT スペシャリストなど	マイクロソフト	ベンダー資格

IT人材育成の取り組みには、何がありますか?

IPAによって、キャリアのフレームワークが示されています。

ITの世界における競争力の源泉は人材です。その人材を育成するために多くのITベンダーで利用されているのが、ビジネス成功の視点から、顧客に成果を提供するために必要な実務能力を体系的に整理した「ITSS（ITスキル標準）」です（情報処理推進機構が公開）。

ITSSでは、横軸に職種、縦軸に能力レベルの深さをとったキャリアフレームワークにより、職種ごとに求められるスキルとキャリアを、11職種、35専門分野について、7つのレベルに分類し、解説しています。それぞれの職種の説明は、達成度の指標、レベルごとの達成度指標とともに示され、そのレベルに達するために求められる要件が把握できるようになっています。一方、能力の視点では、求められるスキルや知識が、テクノロジ、メソドロジ、ビジネスインダストリ、プロジェクトマネジメント、パーソナルという5分類で、スキルの熟達度とともに明示されています。

なお、ITSSのスキルレベルは、情報処理技術者試験の試験に対応しています（レベル4まで）。

Key word

情報システム部門とUISS

情報システムユーザースキル標準（UISS）には、ユーザー企業の情報システム部門に求められる機能と役割、スタッフに求められるスキルと知識が体系的にまとめられている。UISSの構成要素は、（企業の）タスクフレームワーク、タスク概要、（情報システム部門の）機能・役割定義、検収ロードマップ、人材像とタスクの関係、キャリアフレームワーク、人材像定義であり、ITSSよりも組織として、あるいは戦略として求められる要素が詳しく記述されている印象だ。またオーバースペックなので、中堅、中小企業はアレンジが必須となる。

ITSSのキャリアフレームワーク
横軸に職種、縦軸に能力レベルの深さをとった全体図（ITベンダー向け）

職種	マーケティング		セールス			コンサルタント		ITアーキテクト			プロジェクトマネジメント		ITスペシャリスト					アプリケーションスペシャリスト	ソフトウェアデベロップメント		カスタマサービス		ITサービスマネジメント			エデュケーション	
専門分野	マーケティングマネジメント	販売チャネル戦略	マーケットコミュニケーション	訪問型コンサルティングセールス	訪問型製品セールス	メディア利用型セールス	インダストリ	ビジネスファンクション	アプリケーションアーキテクチャ	インテグレーションアーキテクチャ	インフラストラクチャアーキテクチャ	ソフトウェア製品開発	システム開発	ITアウトソーシング	ネットワークサービス	プラットフォーム	ネットワーク	データベース	アプリケーション共通基盤	セキュリティ	業務システム	業務パッケージ	基本ソフト	ミドルソフト	応用ソフト	ハードウェア	ファシリティマネジメント	運用管理	システム管理	オペレーション	サービスデスク	研修企画	インストラクション

ハイレベル	レベル7
	レベル6
	レベル5
ミドルレベル	レベル4
	レベル3
エントリレベル	レベル2
	レベル1

UISSのキャリアフレームワーク
横軸に職種、縦軸に能力レベルの深さをとった全体図（ユーザー企業向け）

人材像 / レベル	ビジネスストラテジスト	ISストラテジスト	プログラムマネージャ	プロジェクトマネージャ	ISアナリスト	アプリケーションデザイナー	システムデザイナー	ISオペレーション	ISアドミニストレータ	ISアーキテクト	セキュリティアドミニストレータ	ISスタッフ	ISオーディター
7													
6													
5													
4													
3													
2													
1													

達成度指標によるレベル
必要な課題解決の経験と実績の度合いを7段階で表現

レベル	レベル1	レベル2	レベル3	レベル4	レベル5	レベル6	レベル7
価値創造への貢献	業務上の課題の発見、解決ができる（活用）				ビジネス、テクノロジ、メソドロジをリードする（創出）		
	指導の下に実施		業務を実施	業務範囲（プロジェクト）内でリード	社内に貢献	業界に貢献	業界をリード
							市場への影響力がある
						市場で認知される	
					社内で認知される		
要求作業の達成					指導できる		
				独力で全てできる			
		一定程度であれば独力で全てできる					
	指導の下でできる						
評価範囲						業界の成員としての成果	
				組織の成員としての成果			
評価対象	個人としての成果						

読んでおきたい書籍 [業界編]

How Google Works
私たちの働き方とマネジメント

エリック・シュミット、ジョナサン・ローゼンバーグ、
アラン・イーグル、ラリー・ペイジ 著、土方 奈美 訳

990 円、464p、
2017 年 9 月 2 日、
日本経済新聞社

ハッカーと画家
コンピュータ時代の創造者たち

ポール グレアム 著
川合 史朗 訳

2,640 円、280p、
2005 年 1 月 1 日、
オーム社

人月の神話　新装版

フレデリック・ブルックス 著、滝沢 徹、
牧野 祐子、富澤 昇 訳

3,520 円、321p、
2014 年 4 月 22 日、
丸善出版

ピープルウエア 第 3 版
ヤル気こそプロジェクト成功の鍵

トム・デマルコ、ティモシー・レスター著
松原友夫、山浦恒央、長尾高弘　訳

2,420 円、320p、
2013 年 12 月 24 日、
日経 BP 社

　『How Google Works』には、OKR をはじめとする、グーグルの組織マネジメント手法が豊富な事例とともに解説されています。賢く、多才で、クリエイティブな社員を扱い、方向付ける上では、従来型のマネジメントがある意味、害になることがわかります。『ハッカーと画家』からは逆に、ハッカーの視点から彼らの興味や志向（嗜好）性が読み取れます。並外れた知識やスキルを持った彼らを使いこなすには、幅広い視野と成果物に対する美学が必要になることがわかるのです。

　また『人月の神話』は、「遅れているソフトウェアプロジェクトへの要員追加は、さらにプロジェクトを遅らせるだけだ」など、（多少記述が古いところがあるものの）ソフトウェアエンジニアリングの基礎を学ぶ上で有効です。一方、『ピープルウェア』は人を中心としたプロジェクトマネジメントの重要性を指摘する一冊。著者は、この分野の重鎮です。

II 部

業務の常識

情報システムの構成

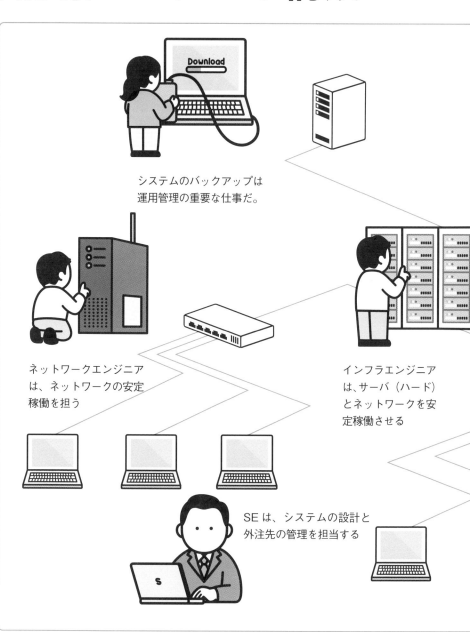

システムのバックアップは
運用管理の重要な仕事だ。

ネットワークエンジニア
は、ネットワークの安定
稼働を担う

インフラエンジニア
は、サーバ（ハード）
とネットワークを安
定稼働させる

SE は、システムの設計と
外注先の管理を担当する

運用管理担当は、障害発生時に火消しに追われる

プログラマは、仕事の場所と時間を選ばなくなっている

リモートオフィス

受託開発系の仕事

1 提案の仕事

ユーザー企業の課題解決のつながる
情報システムを提案する

2 要件定義の仕事

ユーザー企業の業務担当などの要望
をヒアリングしてまとめる

4 開発の仕事

設計に基づいて、手分けしてプログ
ラム、システムを開発する

3 設計の仕事

ユーザーの要件を情報
システムの設計書に落
とし込む

5 導入の仕事

構築したシステムを、実際の業務担
当者に確認してもらう

6 運用の仕事

システムを使い始めたら、必要に応
じて問い合わせに答える

自社開発系の仕事

1 企画の仕事

どのようなソフトウェアが求められ
ているかについて相談する

2 設計の仕事

求められる要件に応じて、ソフト
ウェアを設計する

4 検証の仕事

ソフトウェアを実際に使ってみながら、
検証する

3 開発の仕事

比較的少人数で、効率的なやり方を模索しながらプログラムを開発する

5 マーケの仕事

作成したソフトウェアをユーザーに紹介する

6 営業の仕事

ユーザー（企業）に実際に使ってもらいながら、売り込む

情報システムは、どのような構造になっていますか？

インフラからアプリケーションまでの5層構造です。

　情報システムは、メインフレームを中心とする**レガシーシステム**、PCサーバを中心とする**オープンシステム**、そして最近増えている**クラウドシステム**へと進化してきました。現在、主流のオープンシステムでは、ハードウェアやネットワークなどのインフラの上にハードウェアがあり、その上にソフトウェアとの間を仲介する基本ソフトとミドルウェアが載り、ミドルウェアの上で業務ソフトやパッケージソフトなどのアプリケーションが動くという5層構造になっています。またオープンシステムの特徴は、基本的にこの5つを自由に組み合わせられることです。この点が、メインフレームによるレガシーシステムと大きく異なります。ただし、技術や製品が多いため、それぞれの特性や相性を理解した上で情報システムを構築しなくてなりません。

　そして、2010年代に本格的な普及が始まったクラウドシステムでは、インフラ、ハードウェア、基本ソフトなどをセットでサービスとして提供し、組み合わせのパターンをある程度絞ることで、情報システムの構築・運用の手間を格段に削減しています。

Key word

集中型と分散型

レガシーシステムの時代、メインフレームは「ホスト」、ホストを利用する端末は「ダム端末」と呼ばれた。その名の通り、ダム端末ではデータを処理できないため、ほぼすべてのデータ処理がホスト側で行われた。オープンシステムになると、サーバ側だけでなく、クライアント側（PC端末）でもデータを処理するようになる。そしてクラウドシステムの時代になると、またネットの向こう側でデータ処理して、端末には処理の結果のみが表示されるITサービスが登場してきた（SaaS→「III-22」参照）。このように、情報システムの世界では「集中型→分散型→集中型」といった揺り戻しがつねに起こっている。

レガシーシステムの基本構造　　1960年代
OSが登場し、ハードウェアの制御とソフトウェアに対するインターフェイスを提供する

オープンシステムの基本構造　　1990年代
ミドルウェアが登場し、アプリケーションの共通機能を提供する

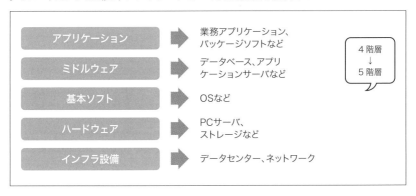

クラウドシステムの基本構造（例：IaaS）　　2010 年代
クラウドサービスが登場し、インフラ、ハードウェア、OSは、ネットの向こう側に置かれる

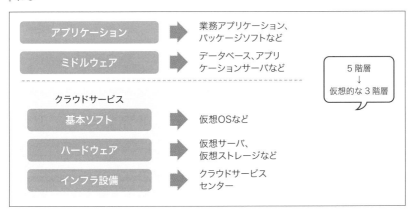

オープンシステムには、どのような種類がありますか?

スタンドアロン、クラサバ、Webの3種類があります。

オープンシステムは、通常、**スタンドアロン型**、**クライアント / サーバ（C/S）型**、**Webシステム型**のいずれかの形態で構築されます。

スタンドアロン型では、すべてのデータ処理がデータベースと アプリケーションの入った1台のマシン上で行われます。C/S型では、データベースはサーバ（マシン）にアプリケーションはサーバとクライアント（PC）に置かれ、データ処理はクライアントとサーバで分担して行われます。そしてWebシステム型では、データベースもアプリケーションもサーバ（マシン）に置かれ、クライアントPCはブラウザ上にデータ処理結果を表示するだけです。

3つのうちどの形態を採用するかはシステムの規模や用途によって異なります。ネットワークから切り離されているスタンドアロン型はデータの機密性が高く、セキュリティが求められるシステムに採用されます。そしてC/S型はデータの一元管理が楽です。Webシステム型ではインターネットを介して標準データがやり取りされるため、場所、機種、OSなどが異なる条件下での接続が容易です。

Key word

サーバとサーバ（マシン）

「サーバ」と「サーバ（マシン）」は混同しがちだ。前者はWebサーバやアプリケーションサーバなどのミドルウェア（ソフトウェア）。後者は、高性能のコンピュータだ。サーバマシンにはサーバ用OS（「I-17」参照）がインストールされるが、ハードウェア構成はPCと基本的に変わらない（そのため、PCサーバなど とも呼ばれる）。そして、サーバ用OS上で、WebサーバやアプリケーションサーバOS上で、走る。つまり、サーバマシン上でサーバ（ソフトウェア）が実行されることで、サーバの機能が提供されているわけだ。ちなみに、サーバを「サーバー」と呼ぶ人もいるが、どちらも間違っているわけではない。

スタンドアロン型
1台のコンピュータ内でデータを処理する

用途：機密性の高いシステム

特徴：ネットワークから切り離されている

利点：データのセキュリティ

クライアント/サーバ (C/S) 型
クライアントPCがサーバにアクセスすることでデータを処理する

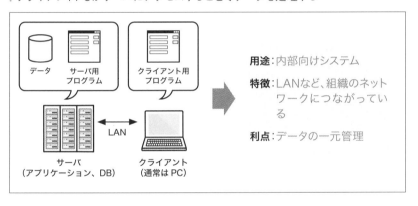

用途：内部向けシステム

特徴：LANなど、組織のネットワークにつながっている

利点：データの一元管理

Webシステム型
クライアント端末がWebサーバにアクセスすることで情報を処理する

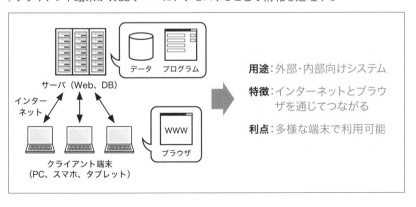

用途：外部・内部向けシステム

特徴：インターネットとブラウザを通じてつながる

利点：多様な端末で利用可能

情報システムの3階層モデルとは、何ですか?

プレゼンテーション、ビジネスロジック、データストアの3層です。

　現在の情報システムは基本的に、ネットワークの利用を前提として、複雑な業務処理をより小さな単位に分割して複数のコンピュータで実行し、その結果を組み合わせることで複雑な処理を実行するように設計されています

　そのため多くの情報システムでは、ユーザーとの入出力を担当する**プレゼンテーション層**、アプリケーションによる処理実行部分を担当する**ビジネスロジック層**、データの保存部分を担当する**データストア層**に分けて構成された**3階層モデル**が採用されています。たとえば、Webシステムでは、プレゼンテーション層はPCやモバイル端末、ビジネスロジック層はアプリケーションサーバ、データストア層はデータベースサーバが担います。このような構成にすることで、データ処理の量に合わせて複数台のコンピュータを組み合わせて利用できるようになり、システムの変更や拡張などに柔軟に対応可能になるのです。

　なお最近では、業務システムでもプレゼンテーション層にWebブラウザとWebサーバを用いるシステムが増えています。

Key word

分散システムと垂直分散型と水平分散型

ネットワークで接続された複数のコンピュータが分担してデータを処理するシステムは、一般に「分散（処理）システム」と呼ばれる。分散システムには垂直分散型と水平分散型の2種類がある。同じ役割のコンピュータ同士を接続したシステムは水平型分散、違う役割のコンピュータ同士を接続したシステムは垂直型分散である。水平型分散システムを採用するメリットは主に、負荷を分散させたり、故障のリスクを減らしたりできること。一方、垂直型分散システムの構成を採用するメリットは主に、システムの柔軟性を上げたり、システム導入時のコストを抑えたりできることだ。ただし、管理コストは増える。

3階層モデルの基本構成

プレゼン、ビジネスロジック、データストアという3階層によってアプリケーションを
実行する

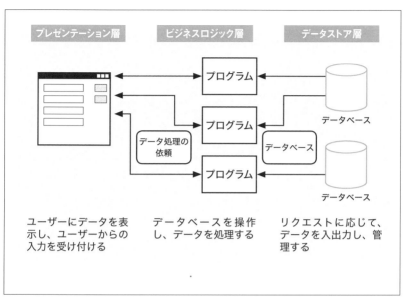

| プレゼンテーション層 | ビジネスロジック層 | データストア層 |

ユーザーにデータを表
示し、ユーザーからの
入力を受け付ける

データベースを操作
し、データを処理する

リクエストに応じて、
データを入出力し、管
理する

3階層モデルの構築例

クライアントPC、APサーバ、DBサーバがそれぞれの機能を担う

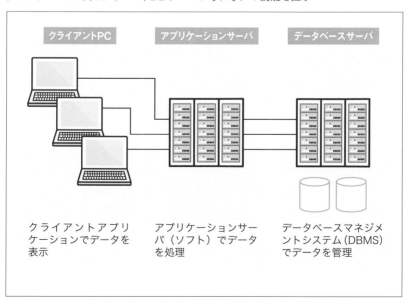

| クライアントPC | アプリケーションサーバ | データベースサーバ |

クライアントアプリ
ケーションでデータを
表示

アプリケーションサー
バ（ソフト）でデータ
を処理

データベースマネジメ
ントシステム（DBMS）
でデータを管理

プログラムはコンピュータに、どのように命令するのですか?

プログラムが機械語に翻訳されて、CPUに命令が伝わります。

　プログラム（ソフトウェア）とは、コンピュータのハードウェア部分を動かす、一種の命令文です。「命令＋データ」の形で書かれたプログラムは、周辺装置とのデータ入出力を司る「心臓部分=CPU」に命令を伝えます。この際、ハードウェアは数値（コード）の情報しか理解できないため、ハードウェアに対する命令は0と1で表現される電気信号（機械語）で表現されます。

　かつてプログラムは**機械語**で書かれていました。しかし機械語には「プログラミングの生産性が低い」という欠点があります。そこで、その欠点を改善するために作られたのが**プログラミング言語**です。プログラミング言語には様々な種類がありますが、どれもできることに変わりはありません。書かれたプログラムは一括（**コンパイラ型**）あるいは1行ずつ（**インタプリタ型**）機械語に変換され、処理が実行されます。なお現在のシステムでは、オペレーティングシステム（OS）などの基本ソフトが様々な機能を提供しているので、開発者はそれらと組み合わせて動くプログラムを書くことになります。

Key word

コンパイラ型とインタプリタ型

コンパイラ型は一括で機械語に翻訳（コンパイル）した後、プログラムを実行する方式。代表的なコンパイラ型言語には、C/C++、FORTRAN、COBOL、Javaがある。コンパイラ型のメリットは、プログラムの実行速度が速いこと、デメリットはコンパイルした後の機械語を他の環境で実行できないことだ。

一方、インタプリタ型はプログラムを1行ずつ機械語に翻訳しながらプログラムを実行する方式。代表的なインタプリタ言語は、BASIC、Perl、Pythonなどだ。インタプリタ言語のメリットは、すぐにプログラムを確認、修正できること、デメリットは、プログラムの実行速度が遅いことである。

プログラムと機械語（例）
プログラムを機械語に翻訳することで、コンピュータ（CPU）に命令を伝える

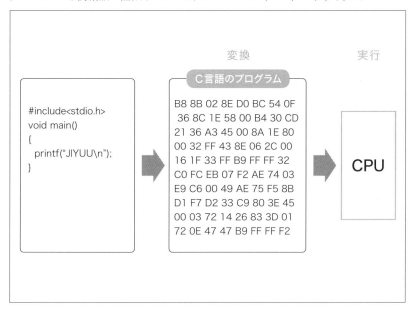

アルゴリズムの考え方を図示したフローチャート（例）
アルゴリズムに基づいてプログラムを書くことで、プログラムの実行が可能になる

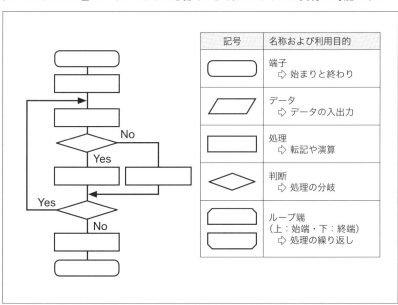

ネットワークは、どのように情報を伝達するのですか?

ルールに基づいて、正しいデータを正しい場所に届けます。

　正しいデータを正しい場所に届けるため、ネットワークには様々なルールが設けられています。最も基本的なルールがプロトコルです。プロトコルは、「葉書を出すときは、この大きさの紙に郵便嵌合と宛名を書き、切手を貼ってポストに投函する」というように、あるデータを運ぶときのルールを決めています。ネットワーク機器やコンピュータは、プロトコルによって運ばれるデータの種類や送信先を判別します。「どのような用途でどのようなプロトコルを使うのか」を決めているのが**OSI 参照モデル**です。OSI 参照モデルでは、ネットワークを7つの階層に分けて、層ごとの役割とそこで使われるプロトコルを定義しています。

　またネットワークに接続されたコンピュータには **IP アドレス**というアドレスが振られ、ルータは IP アドレスごとに情報を振り分けます。さらに**ポート番号**によって、伝送先コンピュータ内のどのアプリケーションに情報を送るのかは判別されます。こうしたルールがネットワーク上のデータ送信を可能にしているのです。

Key word

プロトコルとプロトコルスタック、パケットとパケット通信

プロトコルは、通信手順、通信規格、データ送信先端末、データ形式、パケット構成、エラー対応など決める。パケットとはデータを一定サイズに分割した単位だ。ネットワークでは、通常、パケット単位でデータをやり取りする（これがパケット通信方式）。またプロトコルスタッフとは、プロトコルの階層のこと。同一階層内のプロトコルは、通常、同じ用途のために設計されていることが多い。ただし、データの信頼性や通信効率などが異なるため、用途に応じて使い分ける。たとえば、第4層の TCP は Web 通信やメール通信やファイル転送に、UDP は音声や動画などのリアルタイム通信に使われる。

OSI参照モデル

正しいデータを正しい場所に届けるには、ルールが必要になる

	層	各層の役割	プロトコル
第7層	アプリケーション層	アプリケーションの指定	http、DHCP、SMTP、FTP など
第6層	プレゼンテーション層	ファイル形式の指定	SMTP、SNMP、FTP など
第5層	セッション層	アプリケーションの指定	TLS、NetBIOS、NWLink など
第4層	トランスポート層	データ信頼性の確率	TCP、UDP など
第3層	ネットワーク層	転送ルートの指定	IP、ARP など
第2層	データリンク層	ビット列の変換 00101	PPP、イーサネット など
第1層	物理層	物理信号の変換 00101 00101	10BASE-T など

社内ネットワーク（LAN）の構築例

正しいデータを正しい場所に安全に届けるには、様々な機器も必要になる

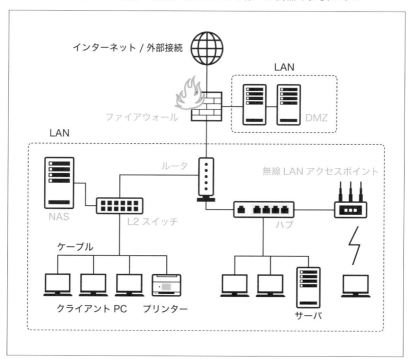

データベースは、どのようにデータを管理しているのですか?

企業や個人が「情報」を効率的に利用できるようにします。

データベースとは、必要な情報を一元管理するためのシステムです。現在、主流となっているリレーショナルデータベース（RDB）では、複数の表とその関係（リレーション）によってデータ間のつながりを表現します。RDBの設計にあたっては「一元管理が必要な情報を正しく重複なくデータベースに記録する」必要があります。

そこで求められるのが、情報の**データ型**（数値、文字列、文字数など）や重複値・未入力の可否などを決める**属性**を決めて、情報の重複をなくし、管理や利用を容易にすることです。この作業は、一般に**正規化**と呼ばれます。

データベース内に蓄積されたデータの操作は、多くの場合、**SQL言語**で指示します。情報の登録、検索、更新、削除などの命令を「SQL言語」によって行われます。なお実際の開発では、一からデータベースを構築することは稀で、UI作成機能、データ重複防止機能、リカバリ機能などが標準搭載された商用**RDBマネジメントシステム**（RDBMS）が使われることになります。

Key word

データベースとデータベースマネジメントシステム

データベースとデータベースマネジメントシステム（DBMS）も混同されがちだ。前者は、ある特定の条件に当てはまるデータを複数集めて、使いやすい形で整理・保存し、データを利用できるようにするシステム全体のこと。後者はデータベースを構築、管理するためのソフトウェアだ。DBMSを使えば、データベース内のデータを効率的に入出力したり、追加・更新・削除したりできるようになる。DBMSは、データベースを効率良く構築・管理するためのツールなのだ。ただしシステム開発の現場では、DBMSをデータベースと呼ぶことが多い。またほとんどの場合、使われるのは、RDBMSである。

データの属性と正規化

属性に基づいて、データを正規化することでデータベースに格納できるようになる

情報の属性

データ名	データ列	重複可否	入力必須
ツール名	文字列 (20文字)	×	○
製造会社名	文字列 (20文字)	○	○
URL	文字列 (40文字)	○	×
価格	文字列 (10文字)	○	×
リリース日	文字列 (6文字)	○	○

正規化

ツール名	企業名	価格	検索キーワード
FreeMind	FreeMind org	0	発想法、マインドマップ
JUDE Proffesional	チェンジビジョン	39800	発想法、マインドマップ、UML

第1正規化

ツール名	企業名	価格	検索キーワード
FreeMind	FreeMind org	0	発想法
FreeMind	FreeMind org	0	マインドマップ
JUDE Proffesional	チェンジビジョン	39800	発想法
JUDE Proffesional	チェンジビジョン	39800	マインドマップ
JUDE Proffesional	チェンジビジョン	39800	UML

DBMSによるデータの入出力（例）

様々なテーブルを作成することでデータの入出力が可能になる

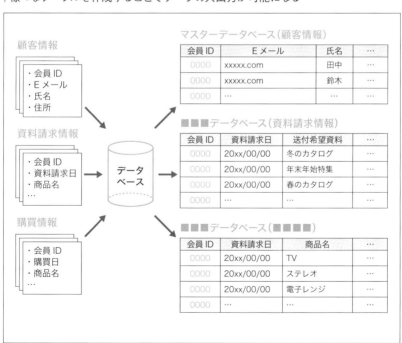

ソフトウェアエンジニアリングとは何ですか？

情報システムの開発や運用管理に関する体系的な理論です。

　ソフトウェアエンジニアリングとは、「要件を漏れなく反映させる」「バグをなくす」「開発生産性を上げる」「運用管理を効率化する」ことなどを目的とした、情報システムの開発や運用管理に関する体系的な理論です。プログラミング言語、ネットワークの構造などの技術を扱う**コンピュータサイエンス**に対して、ソフトウェアエンジニアリングは技術の活用を目的としています。

　ソフトウエアエンジニアリングの理論のうち、現場の開発者が最もよく遭遇するのが**開発方法論**です。現在、システム開発の現場で使われている開発方法論には、最初に立てた計画通りにシステム全体を一気に構築していく**ウォーターフォール**、サブシステムごとに1つずつ構築しながら仕様を随時変更させていく**スパイラル**、少数精鋭チームが短い期間での開発（イテレーション）を繰り返しながら構築していく**アジャイル**の3つがあります（「Ⅲ-02」参照）。プロジェクトマネージャーは、開発の対象やプロジェクトの性質などに応じて、いずれかの開発方法論に基づいて情報システムを開発します。

Key word

コンピュータサイエンスとソフトウェアエンジニアリング

コンピュータサイエンスとは、「すべての問題処理をコンピュータ上の計算手順に転換することにより自動化する方法を発明・発見する学問分野」である。要は、情報システムを構築するための仕組みを学ぶ学問である。一方、ソフトウェアエンジニアリングは、ソフトウェアの開発・運用にエンジニアリング的な手法を適用した工学分野である。つまり、工業製品を製造するのと同様の考え方で、ソフトウェアを機能や部品に分割し、開発・組立・テストするための方法論である。欧米では、コンピュータサイエンスとソフトウェアエンジニアリングを大学で学ぶが、日本ではあまり重視してこなかった。

ウォーターフォール型のシステム開発
基本的に、最初に決めたとおりにシステムを開発していく

スパイラル型のシステム開発
サブシステムごとに構築しながら、適宜、仕様も変更する

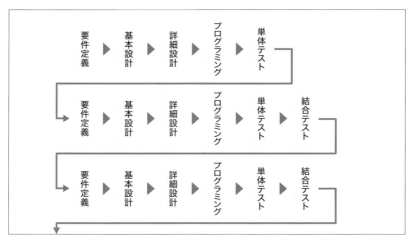

アジャイル型のシステム開発
まずは基本機能のみを開発し、短い開発期間で少しずつシステムを成長させる

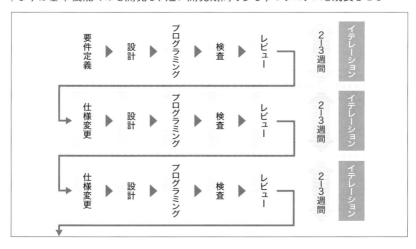

開発のV字モデル、W字モデルとは何ですか?

システム開発のプロセスを表現したモデルです。

　システム開発では、開発のいずれのフェーズにおいても欠陥（バグ）が混入する可能性があり、しかもそれが目に見えません。こうした欠陥を減らすために生まれたのがシステム開発の**V字モデル**と**W字モデル**です。V字モデルでは、システム開発の一連の流れを、要求定義からプログラム実装に至るプロセスと、実装したプログラムの検証からシステム導入に至るプロセスに分け、前者のプロセスで生成した成果物（ドキュメント、コードなど）を後者のプロセスで検証します。たとえば要求定義フェーズで作成した要件定義書を、ユーザーによる受入れテストで検証するわけです。V字モデルでは一般に、3角形内の面積がそこでの欠陥が影響する大きさと言われています。つまり、要件定義における欠陥の修復には莫大なコストがかかるわけです。こうした問題を解消するために誕生したのがW字モデルです。W字モデルは、開発の上流工程からレビューやテスト設計を開始し、開発プロセスとテストプロセスを同時併行に進めます。早期から検証を始めることで、設計の漏れを発見する確率が上がり、品質リスクが減少するのです。

Key word

開発プロセスとテストプロセス

開発プロセスとはソフトウェアを開発する作業の流れであり、テストプロセスとはソフトウェアテストを進める作業の流れだ。開発プロセスとテストプロセスは、最終的なソフトウェア製品の品質や提供方法に強い影響を与えると言われる。そのため、主にソフトウェアエンジニアリングの分野で、その方法論が盛んに議論されており、数多くの開発プロセスモデルが誕生した。前述のウォーターフォール、スパイラル（反復開発）、アジャイルも開発プロセスモデルである（ただし、テストプロセスも含む）。このように、開発プロセスのなかにテストプロセスが含まれるという考え方もあるので、注意が必要だ。

システム開発のV字モデル
前工程で作成したドキュメントを後工程で検証する

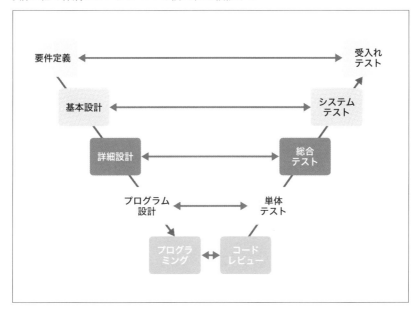

システム開発のW字モデル
随時、レビューしながら、開発を進める

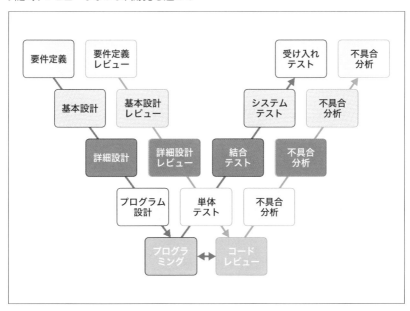

プロジェクトマネジメントとは、何ですか?

マネジメント的な視点からシステム開発を管理する方法論です。

ビジネスとして情報システムを開発・運用管理している IT ベンダー、情報システムを事業に活用するユーザー企業の双方にとって、「要件を満たしバグのない情報システムを開発する」「システム開発の生産性を上げる」「運用管理を効率化する」ことと同様に重要なのが、求められる**品質**(Q)のシステムを予定通りの**予算**(C)と**期日**(D)に完成することです。

こうしたマネジメント的な視点からシステム開発を管理するための方法論として利用されているのが、**プロジェクトマネジメント**(PM)です。PM の教典である**プロジェクトマネジメント知識体系ガイド**(PMBOK ガイド)では、プロジェクトの QCD を管理するため、スコープ、タイム、コスト、品質、人的資源、コミュニケーション、リスク、調達、統合という 9 つの知識エリア、立上げ、計画、実行、コントロール、終結というプロセスマップをフレームワークとして提供しています。プロジェクトマネージャーは、これらの標準的な知識・手法・方法論などを利用して、プロジェクトを成功に導きます。

Key word

PMBOKガイドとPMP

PMBOK ガイドは、プロジェクトマネジメントの知識体系である。IT だけでなく、建設、製造など幅広いプロジェクトに適用可能だ。PMBOK ガイドを発行しているのは、米国のプロジェクトマネジメント協会(PMI)。PMOBK ガイドは現在、日本版も含めて(PMI 日本支部が発行)、世界 12 カ国語で発行されており、最新版は 2017 年に刊行された。日本では IT ベンダーが PMBOK ガイドを学んでおり、その公式資格である「PMP」の取得者も多い。プロジェクトマネジメントに関する国際資格である PMP を受験するには、プロジェクトを指揮・監督する立場での実務経験と研修の受講が必要となる。

PMBOKのプロセスマップと9つの知識エリア

プロジェクトの進め方とそれぞれで理解しておくべき知識を説明している

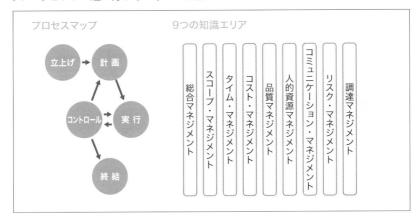

プロセスマップ

立上げ → 計画

コントロール → 実行

終結

9つの知識エリア

総合マネジメント ／ スコープ・マネジメント ／ タイム・マネジメント ／ コスト・マネジメント ／ 品質マネジメント ／ 人的資源マネジメント ／ コミュニケーション・マネジメント ／ リスク・マネジメント ／ 調達マネジメント

PMBOKの知識エリアと体系

進め方と知識の関係を整理している

パート						
	出力					
	ツールと実践技法					
	入力					
				プロセス		
		Initiating（立上げ）	Planning（計画）	Executing（実行）	Controling（管理）	Closing（終結）
知識エリア	Intergration Management（総合管理）		・プロジェクト計画の策定	・プロジェクト計画の実行	・変更管理の統合	
	Scope Management（スコープ管理）	・プロジェクトの立上げ	・スコープ計画 ・スコープ定義		・成果物の検収 ・スコープ変更管理	
	Time Management（スケジュール管理）		・作業の定義 ・作業順序の設定 ・所要時間の見積もり ・スケジュール作成		・スケジュール管理	
	Cost Management（コスト管理）		・資源計画 ・コスト見積 ・予算設定		・コスト管理	
	IQuality Management（品質管理）		・品質計画	・品質保障	・品質管理	
	Human Resource Management（組織・要員管理）		・組織計画 ・要員の調達／確保	・チーム結成／育成		
	Communication Management（コミュニケーション管理）		・コミュニケーション計画	・情報の配布	・進捗管理	・プロジェクト完了手続き
	Risk Management（リスク管理）		・リスク管理計画 ・リスクの定義 ・リスクの定性化 ・リスクの定量化 ・リスク対策の計画		・リスクの監視／管理	
	Procurement Management（外注管理）		・調達計画 ・引合計画	・引合 ・発注先選択 ・契約管理		・契約の完了

97

CMMIとは、どのような概念ですか?

ソフトウェア開発組織のプロセス改善指標です。

　CMMIとは、米国カーネギーメロン大学が開発したソフトウェア開発組織のプロセス改善指標です。ISOのIT版とも言うべきCMMIでは、ソフトウェア開発に従事する組織において、開発の進捗や成果がどの程度文書化され、眼に見える形で管理されているかを、CMMI1～CMMI5の5段階で評価します。

　CMMI1は事実上何も管理していないレベル、CMMI2は管理されたレベル、CMMI3は定義されたレベル、CMMI4は定量的に管理されたレベル、CMMI5は最適化されているレベルと定められています。レベル3以上であれば一定品質のソフトウェアを開発する期間とコストを正確に見積り可能な組織、レベル4以上であれば定量的な評価基準が導入されている組織です。

　近年、オフショア開発を受託する企業がCMMIレベル3以上の認定を受けるケースが増え、なかにはCMMI5（最高位）を取得する企業も現れています。日本においても、品質管理としてCMMIに準拠したプロセスを採用する企業が増えています。

Key word

CMMIとCMMI-AM

CMMIが開発されたのは、IT調達プロセスに問題を抱えていた米国国防省（DOD）がカーネギーメロン大学のソフトウェア工学研究所（SEI）にITベンダーの選定指標の開発を依頼したことに端を発する。SEIはシステムエンジニアリング（SE-CMM）、ソフトウェア開発（SW-CMM）、ソフトウェア調達（SA-CMM）、統合製品開発（IPD-DMM）など、いくつかの指標を開発した。これらを統合したのがCMMIだ。このうち、IT調達のためのCMMI-AMは、民間企業のIT調達においても有用である。CMMI-AMでは、ITベンダーの選定にあたり、特に開発能力とプロセス成熟度を重視している。

CMMIの5つのレベル

レベル1〜5に必要なレベルを定義

成熟度レベル	成熟度レベルの内容	必要なプロセス
レベル5 最適化しているレベル	このレベルではプロセス実績を継続的に改善することに焦点をあてます。また必要なプロセスが確立されている必要があります	組織改革と展開、原因分析と解決
レベル4 定量的に管理されたレベル	このレベルでは、組織は統計的技法およびその他の定量的技法を使用して制御されており、定量的な予測が可能です。また必要なプロセスが確立されている必要があります	組織プロセス実績、定量的プロジェクト管理
レベル3 定義されたレベル	このレベルでは、組織は標準プロセスの集合をテーラリングしたプロセスに従って管理されています。また必要なプロセスが確立されている必要があります	要件開発、技術解、成果物統合、検証、妥当性確認、組織プロセス重視、組織プロセス定義、組織トレーニング、統合プロジェクト管理、リスク管理、統合チーム編成、統合供給者管理、決定分析と解決、統合のための組織環境
レベル2 管理されたレベル	このレベルでは組織はプロジェクト管理がされています。要件が管理され、かつプロセスが計画／実施／測定／制御されています。また必要なプロセスが確立されている必要があります	要件管理、プロジェクト計画策定、プロジェクトの監視と制御、供給者合意管理、測定と分析、プロセスと成果物の品質保証、構成管理
レベル1 初期レベル	このレベルではプロセスは場当たり的で無秩序です。従ってプロセスは確立されていません	

CMMIに対応したチェック対象プロセス

レベル1〜5で求められるプロセスを定義

領域	プロジェクトマネジメント	エンジニアリング	サポート	プロセス管理
レベル5			原因分析と解決	組織実績管理
レベル4	定期的プロジェクト管理			組織プロセス実績
レベル3	統合プロジェクト管理 リスク管理 統合チーム編成 統合サプライヤ管理	要件開発 技術ソリューション 成果物統合 検証 妥当性確認	決定分析と解決 統合のための組織環境	組織プロセス重視 組織プロセス定義 組織トレーニング
レベル2	プロジェクト計画策定 要件管理 サプライヤ合意管理 プロジェクトの監視と制御		構成管理 測定と分析 プロセスと成果物の品質保証	
レベル1				

チェック対象プロセスの4つの領域

レベル1〜5で求められるプロセスの内容を定義

プロセス管理
組織プロセス重視
（OPF）
組織プロセス定義
（OPD）
組織トレーニング
（OT）
組織プロセス実績
（OPP）
組織実績管理
（OPM）

エンジニアリング
要件開発
（RD）
技術解
（TS）
成果物統合
（PI）
検証
（VER）
妥当性確認
（VAL）

プロジェクト管理
要件管理
（REQM）
プロジェクト計画策定
（PP）
プロジェクトの監視と制御
（PMC）
供給者合意管理
（SAM）
統合プロジェクト管理
（IPM）
リスク管理
（RSKM）
定量的プロジェクト管理
（QPM）

支援
構成管理
（CM）
プロセスと成果物の品質保証
（PPQA）
測定と分析
（MA）
決定分析と解決
（DAR）
原因分析と解決
（CAR）

IT戦略は、何のために
立てるのですか?

経営戦略を実現するためのシステムをIT戦略に落とします。

　現在、多くの企業において業務がシステム化されたことで、IT と経営を統合的に考える必要が高まっています。そこで重要になるのが**IT戦略**です。

　そもそもユーザー企業は、「どのテーマや課題から IT 投資すればいいかわからない」「課題解決に向けて導入するべき IT 技術がわからない」「IT 投資の効果が見えてこない」「バラバラに IT 投資したためシステムが乱立している」といった課題を抱えています。

　IT ベンダーには、システムの開発や運用管理だけでなく、企業の経営戦略に基づいて課題解決に役立つ IT 戦略を策定し、導入すべき IT 技術を選定・調達し、それをシステムに落とし込み、その効果を検証する役割が求められています。IT 戦略策定にあたってよく使われるのが、業務プロセス、データ、データ処理、IT 基盤について、現状と理想を比較するアプローチです。

　現在、大手 IT ベンダーを中心に、**IT コンサルティング**のサービスを提供する企業が増えています（「III-08」参照）。

Key word

ITコンサルタントと戦略コンサルタント

IT コンサルタントと戦略コンサルタントは、とかく比較される。実際、アクセンチュアでも、戦略系と非戦略系（多くが IT）で入社区分が分かれていて、戦略系は入社のハードルが高いと言われている。では、業務内容はどのように異なるのだろう。まず、IT コンサルタントは経営戦略が決まったところでそれを IT 戦略に落として実行する役割であるのに対して、戦略コンサルタントは経営戦略自体を決める役割である点だ。つまり、戦略系はより上流のプロセスを担うのである。また多くの場合、IT コンサルの仕事は IT 戦略の実行フェーズが長く、戦略コンサルの仕事は経営戦略を決めるまでが長い。

IT戦略の立案・改善のプロセス

IT戦略が決まったら、資源を調達して、導入し、さらにモニタリングして、適宜変更する

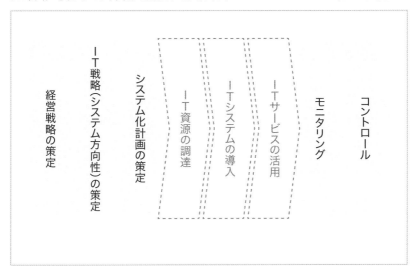

IT戦略立案にあたって考慮するべきこと

現状と理想を比較することで、業務プロセス、データ、データ処理、IT技術基盤のあるべき姿を理解する

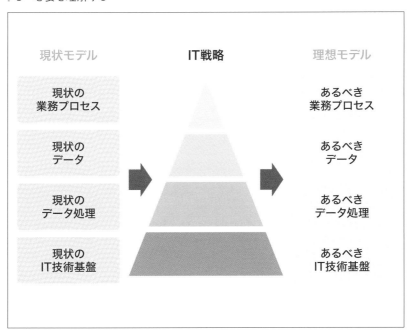

システム化企画と超上流では、何をやるのですか？

IT戦略を、必要となるシステムに落とし込みます。

　システム化による業務効率化や企業価値向上を提案するにあたっては、まずはどのような業務をどのように改善するべきかを考える必要があります。つまり、システム化対象の業務について、目指すべき業務品質やスケジュール、コストやリスク、そして開発体制などを決めるのです。

　この**システム化企画**の業務は通常、ユーザー企業主導で行われます。システム化企画にあたっては、通常、現行の業務プロセス（As-Is）を見える化し、分析することで、経営課題や業務課題を抽出し、理想的な業務プロセス（To-Be）を見つけることになります。またシステム化企画の過程では、フローチャートなどを使って、ユーザー企業の業務フロー全体を俯瞰し、まとめられる業務、省ける業務、新たに追加する業務を洗い出し、それぞれについて業務プロセスの課題をまとめます。その上で、新しい業務プロセスを支援するという観点からシステムの要件を明確にするのです。なお、この手法は個別最適している組織を全体最適化する際に特に有効です。

Key word

As-Is、To-Be、Can-Be

As-Is と To-Be は、現状と理想を比較し、理想に近づくアプローチを考える方法論だ。現行システムを「As-Is モデル」、新規システムを「To-Be モデル」と呼ぶなど、IT 業界でよく使われる。また、パッケージソフトを導入する場合には「Can-Be モデル」という用語も使われる。パッケージ導入の場合、To-Be を実現するためにカスタマイズすれば、膨大な費用がかかるだけでなく、パッケージソフトのバージョンアップ時に苦しむ。そのため Can-Be アプローチでは、まずパッケージを To-Be モデルにするために必要なカスタマイズを洗い出し、カスタマイズに優先順位を付け、現実解を見つける。

「システム化計画の策定」と超上流工程

ここでも、IT投資の費用対効果を考慮した上で、必要なシステムを考える

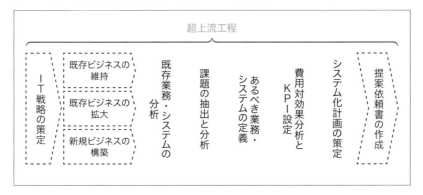

システム化企画で使われるビジネス定義のためのイメージ図 (例)

システム導入後の情報の流れを整理して、ヌケモレなどがないかをチェックする

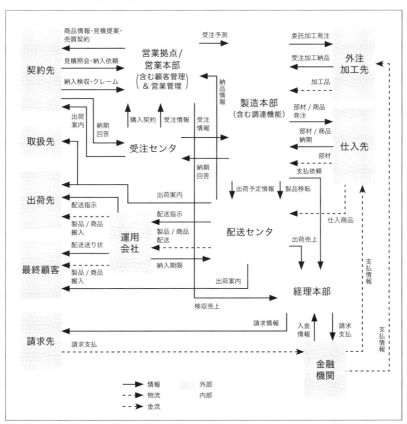

どのように、IT投資の価値を
判断しているのですか?

基本的には、投資に見合ったリターンが得られるかです。

　会計学の世界において、「企業の投資した資本がどの程度の利益を生んでいるか」を測る指標は**リターン・オン・インベストメント（ROI）**と呼ばれます。最近、IT投資においても、ROIの考え方が重視されるようになっています。つまりユーザー企業は、IT投資がどれだけの経費削減や利益拡大を生んだのかを見るようになっているのです。

　ROIは、基本的には利益を投資額で割ったものに100をかけた数で算出されますが、IT投資の場合、利益を削減できるコストと拡大した利益、投資をシステム開発費と運用管理費とみなすことで、広い意味での情報システムの投資対効果を測ります。

　ROIが重視されるようになった背景には、企業の業務が情報システム無しには回らなくなってきた一方で、きちんとした計画無しにITに投資しても、業務の効率化、ひいては企業の収益に結び付かないことにユーザー企業も気付いたという事実があります。今後、システム提案の場面において、ROIの考え方はさらに重視されるようになってくるでしょう。

Key word

システム開発、運用管理、ハードウェア・インフラ

　受託開発系のITベンダーの収益源は、大きく分けて3つ。すなわち、情報システムの開発、情報システムの運用管理、ハードウェア・インフラの販売・構築・運用だ。このうち、情報システムの開発と運用管理は、外注費の割合が5割近く、ほとんどの業務を下請企業に投げている。一方、ハードウェア・インフラの販売・構築・運用では外注費の割合は抑えられるが、仕入れや減価償却の費用がかかる。そのため、いずれの事業も自社開発系と比較して利益率が低い。現在、受託開発系ITベンダーの多くは、10%程度の利益率を目指しているが、赤字プロジェクトが発生すればそれも難しくなるわけだ。

ROIによるIT投資の考え方（計算式）
投資金額よりも、リターンが大きくなることが重要になる

$$ROI = \frac{経費節減コスト \ or \ ビジネス拡大利益}{システム構築費 \ or \ 運用・管理費}$$

ROIによるIT投資の計算例
こうした計算式は、経営層へのプレゼンなどに使われる

	初年度	2年目	3年目
初期投資コスト	100万円	—	—
運用コスト	5万円	5万円	5万円
キャッシュフロー	40万円	40万円	40万円
累積キャッシュフロー	40万円	80万円	120万円
ROI	38.1%	72.7%	104.3%

ROIは3年目で100%を超え、投資額（100万円）を回収

前提条件：初期投資額100万円、年間運用コスト5万円、年間利益40万円とした場合のROI試算例。ここでは、ROIの計算式を説明するために仮の金額で算出している

IT投資の分類とKPI（例）
一口にIT投資と言っても、実は様々な投資のパターンが存在する

IT投資の種類	IT投資の説明	IT投資の例	IT投資のKPI
運営 (Run)	継続的に既存ビジネスを滞りなく運営するための投資	セキュリティ・BCP対応など、リスク回避のための投資	導入しなかったときの機会費用（リスクの大きさ）
		インフラ老朽化による更新、インフラの最適化	ダウンタイム増大がもたらす機会損失コスト、運用コスト削減額
成長 (Grow)	既存ビジネスの改善拡張により収益を拡大するための投資	CRMシステムの新規導入	市場シェア・顧客維持率・チャネル収益率の改善などがもたらす売上・利益
		業務プロセスの標準化に伴うERP導入	資産回転率の向上、製品原価率の削減、労働時間短縮などがもたらす原価削減
変革 (Transformation)	新たなビジネスモデルを構築するための投資	GPS情報を利用して料金を柔軟に設定する自動車保険	売上・利益、市場シェアなど

出典：ガートナー資料より一部改変

システムの提案では、何をやるのですか？

ユーザー企業の要望に基づき、提案書、見積書を作成します。

　システムの提案では通常、IT ベンダーがユーザー企業内の業務課題を解決するシステムを提案します。付き合いのあるユーザー企業に営業から売り込むこともあれば、ユーザー企業担当者の引き合いで提案することもあります。前者の場合には、新技術の導入や競合他社へのキャッチアップなどがポイントとなり、後者の場合にはいくつかの会社でコンペになることが多いようです。

　いずれの場合も、営業と SE がオリエンテーションなどで情報システム部門の担当者にシステム化要件をヒアリングし、「ユーザー企業がどの程度本気なのか」「システム化のポイントは何か」「どの程度予算があるのか」を探ります。感触をつかんだら、システム提案の目的、導入システムの概要、開発プロジェクトの進め方、コストとリスクの見積りといった項目などを**システム提案書**にまとめて提案します。その際には、「業務の現状と問題点」を明示した上で、提案する情報システムが「どのように業務課題の解決に役立つか」「どのような企業経営上の価値を生み出すか」を訴えることが重要になります。

Key word

オリエンとコンペ

オリエン（オリエンテーション）とは、ユーザー企業が IT ベンダーに提案してほしい内容を説明する場である。オリエンテーションでは通常、あらかじめ作成した「提案依頼書」（RFP →「II-15」参照）が使われる。IT ベンダーは、オリエンの場で RFP の内容や疑問点、不明点を詳しく聞くことになる。そのため、

提案書を作成するプロジェクトリーダーが参加するのが望ましい。一方、コンペ（コンペティション）とは、ユーザー企業が複数の IT ベンダーの提案を比較検討し、発注先を選定することだ。システム開発・運用の適正価格を把握し、提案力のあるベンダー企業を見極めるために実施される。

システム提案フェーズのプロセス

IT戦略に基づいて、ユーザー企業内で開発プロジェクトがスタートする

システム提案書に書くべきこと

システムの提案書には、様々な項目を書くことになる

項目	内容
システム提案の目的	・業務の現状と問題点 ・システム化対象となる業務の範囲・領域 ・システム導入後の業務フロー ・システム導入の効果（定性的・定量的）
導入システムの概要	・導入システムの構成 ・システムに利用するパッケージ・ITサービス・ハードウェア・インフラの概要 ・システムが提供するサービス・メニュー ・システムの性能・品質要件
開発プロジェクトの進め方	・開発プロジェクトのスケジュール ・開発プロジェクトの体制（ユーザー企業、ベンダー企業） ・システム開発の作業場所 ・システム開発の納品物 ・システム開発の前提条件（導入の課題）
コストとリスクの見積もり	・開発コストの見積もり ・利用するソフトウェア・ハードウェア・ITサービス・インフラの見積もり ・費用発生スケジュール ・リスクの見積もり

なぜ、ユーザー企業が
提案依頼書を作成するのですか?

システム概要と責任範囲を明確化するためです。

　かつて、ユーザー企業が口頭で説明し、それを IT ベンダーが仕様に落として確認してもらった上で、システム開発のプロジェクトが開始されることも少なくありませんでした。しかし近年、情報システムで処理する業務が増え、その構造が複雑化したことにより、口頭での説明だけではヌケモレが発生したり、誤解を招いたりすることが多くなり、システム納品後のトラブルにつながっていました。

　こうした問題を解決するために、導入されたのが**システム提案依頼書（RFP）**です。RFP は通常、ユーザー企業の情報システム部門の担当者が業務担当者や経営層にヒアリングして作成します。ヒアリングの内容は、システムの概要と目的、必要な機能、保証要件、予算、納期、契約事項、評価プロセスと評価基準、調達方針、環境など様々です。これにより、IT ベンダーの思い違いなどを防ぎつつ、コンペを円滑に進めることが可能になります。

　なお、RFP には通常、仕様書や業務フロー図、成果物一覧や体制図など、提案時に提出する書類なども明記します。

Key word

プロジェクト体制とサポート体制

　開発プロジェクトには通常、IT ベンダーだけでなく、ユーザー企業からも数名参加する。参加するメンバーは、情報システム部門のほか、システム導入部門のメンバーであることが多い。RFP の作成、オリエンの開催、コンペの判断を担うのは通常、ユーザー企業側のプロジェクトリーダーの仕事となる。なお、IT ベンダーとユーザー企業によるプロジェクト体制はプロジェクト体制図にまとめられ、メンバー入れ替えなどの際に、随時更新される。また、プロジェクト開始後のミーティングでは通常、IT ベンダー側が毎回、議事録を作成するが、それをチェックするのもユーザー企業側の仕事となる。

開発委託用の提案依頼書 (RFP) の記載項目 (例)

定例報告や共同レビュー、作業場所は機器・材料負担、瑕疵担保期間や著作権など、取り決めは細部にわたる

システム概要	システム化の背景、システム化の目的／方針、解決したい課題、狙いとする効果、現行システムとの関連、会社・組織概要、新システムの利用者、予算
提案依頼事項	提案の範囲、調達内容・業務の詳細、システム構成、品質・性能条件、運用条件、納期・スケジュール、納品条件、定例報告・共同レビュー、開発推進体制、開発管理・開発手法・開発言語、移行方法、教育訓練、保守条件、グリーン調達、費用見積もり、貴社情報
提案手続き	提案手続き・スケジュール、提案依頼書に対する対応窓口、提供資料、参加資格条件、選定方法
開発に関する条件	開発期間、作業場所、開発用コンピュータ機器・使用材料の負担、貸与物件・資料
保証要件	システム品質保証基準、セキュリティ
契約事項	発注形態、検収、支払い条件、保証年数（瑕疵担保責任期間）、機密事項、著作権など、その他
添付資料	要求機能一覧、DFD、情報モデル、現行ファイルボリューム、現行ファイルレイアウト

運用委託用の提案依頼書 (RFP) の記載項目 (例)

クライアント対応や機密保持、教育訓練やコミュニケーションなど、顧客対応に関する要件が必要になる

運用業務委託目的	システム運用業務を委託する目的
運用業務委託範囲と内容	委託するシステム範囲、委託する業務、委託する業務内容と役割分担、委託する機器内容
運用サービス要件	日常オペレーション、障害対応、システムソフトウェア／ハードウェア／ネットワーク導入・維持・保守、運用管理、クライアント対応、セキュリティ、施設・設備、サービス開始時期、貸与物件・資料、保証要件、機密保持、費用／契約事項、その他
提案依頼事項	サービス内容、サービスレベル保証、セキュリティ、引継ぎ／移行、運用体制・要員、教育訓練、コミュニケーション、費用・契約、貴社情報
提案手続き	提案手続き・スケジュール、提案依頼書に対する対応窓口、提供資料、参加資格条件、選定方法
添付資料	新システムの導入目的と概要、システム運用の現状、システム運用リスク管理方針、ハードウェア構成、システムソフトウェア構成、ネットワーク構成

出典：IT コーディネーター協会資料より一部改変

システム開発の費用はどのように見積るのですか?

過去の実績、システムの規模、計算式などから算出します。

　システムの提案にあたっては、システム開発の予算を見積って提示しなくてはなりません。現在、余分にかかった工数を見積り提出後に追加請求することは、特別の事情がない限り難しくなっています。そのため、ITベンダーにとって、見積りの精度向上は以前にも増して重要になっているのです。

　現在ITベンダーが使っている主要な見積り手法は、過去の類似プロジェクトの実績値に基づいて見積もる**類推見積り**、プロジェクトの構成要素を開発するために必要な工数などから見積もる**ボトムアップ見積り（積み上げ法）**、システムの機能や画面の数に係数を乗することで見積る**係数モデル見積り（パラメトリック法）**の3つです。それぞれ、見積るにあたって必要となる前提条件、見積りの手間や精度が異なります。そのため多くのベンダーは、現在、開発する対象などに応じて様々な見積り手法を使い分けています。なお最近は、係数モデル見積りの**ファンクションポイント（FP）法**、**COCOMO**を利用するITベンダーが増えているようです。

Key word

FP法とCOCOMO

　FP法は、定量的でありながら開発言語に依存しないため、現在、最も標準に近い見積り手法とされる。FP法では、ユーザーから見たソフトウェアの持つべき機能の数とその処理内容の複雑さなどをファンクションポイント（FP）に落とし込み、すべてのFPを合計してソフトウェア開発の工数と費用を見積る。ただしFP法では、機能数の算出に要件定義書が必須なので、契約段階には正確な見積りはできない。一方、COCOMOでは、ソフトウェアの特性、ハードウェアの属性、開発に必要な能力などから見積る手法。COCOMOにはFP法や組織成熟度モデルなどの考え方を取り入れたCOCOMO IIという見積り手法もある。

見積りの基本的な考え方

基本的に、「規模→工数→工期→コスト」の順で見積ることになる

要件の洗い出し → 規模の見積り → 工数の見積り → 工期の見積り → コストの見積り

代表的な見積り法

多くの企業が、これらの見積り法のいずれか、あるいは組み合わせて使っている

分類	概要	手法の例	前提条件	精度
類推見積り（類推法）	過去の類似プロジェクトの実績値に基づいて、コストを見積る	類推法、デルファイ法	実績データベース	低
ボトムアップ見積り（積み上げ法）	プロジェクトの成果物の構成要素を洗い出し、それぞれの開発に必要な工数などから、コストを見積る	WBS 法、標準タスク法	構成要素に対する規模・工数の実績データ	中〜高
係数モデル見積り（パラメトリック法）	システムに必要な機能や画面の数などを数え上げ、それに係数を乗することで、コストを見積る	LOC 法、FP 法、COCOMO/COCOCO II、ユースケース・ポイント法	実績データベース、関係式の検証	中〜高

ファンクションポイント法の考え方

開発する機能ごとに重み付けして、積算している

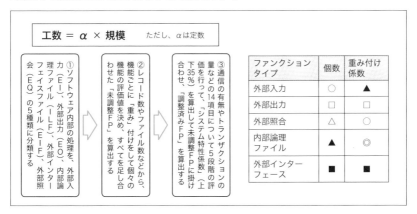

ファンクションタイプ	個数	重み付け係数
外部入力	○	▲
外部出力	□	□
外部照合	△	○
内部論理ファイル	▲	◎
外部インターフェース	■	■

なぜ、システム開発の費用を
2段階で見積るのですか?

要件定義フェーズでは、要件が固まっていないためです。

　システム開発・運用における見積りの重要性が高まる一方で、見積りの難易度は上がっています。理由は様々です。まず、アプリケーション、ミドルウェア、OS、ハードウェアなど、システム開発で組み合わせる要素が増えたため、設計の工数が格段に増え、「プログラムの行数＝開発の工数」という単純な文法が通用しなくなっています。また、開発のツールやソフトウェアの部品などが充実して一から実装することが少なくなる一方で、単純に組み合わせてもうまくいかないので調整の工数が膨らんでいます。

　さらに現実のシステム開発では、多くの場合、要件が固まるのは要件定義や概要設計の段階ですが、ユーザー企業は予算の関係で、契約段階で見積りを求めます。つまり見積りできない状況で見積りを求められるため、実際の費用と見積り金額が乖離してしまうのです。

　そのため最近は、こうしたリスクを避けるために、要件定義・設計フェーズと実装フェーズの2段階に分けて見積りを出す会社が増えています。

Key word

赤字プロジェクトとKKD

赤字プロジェクトが起こる要因は大きく2つ。1つは見積りミス、もう1つは仕様変更だ。見積りミスの原因は、「規模・工数・工期・コスト」を見積るために必要な情報がはっきりしないこと、そして見積り方法が明確でないことだ。このような状況で見積ることは一般に、「K（勘）K（経験）D（度胸）」による見積りと呼ばれる。KKDによる見積りを避けるには、過去の実績データを蓄積し、蓄積データの精度を確保し、自社の標準となる見積り手法を確立し、見積り担当者を教育することなど求められる。ただし実際のプロジェクトでは、仕様が固まらない状況で見積ることも多く、仕様変更が赤字プロジェクトにつながる。

2 (多) 段階見積りの考え方

システム要件がある程度固まってから、開発フェーズのコストを見積ることになる

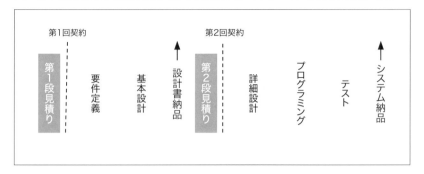

大手ITベンダーが実際に使っている見積り手法

大手ITベンダーは過去の実績に基づいて、独自の見積り手法を構築している

ベースとなる手法	企業名	見積り手法の名称	主な見積もりの対象
ファンクション ポイント（FP）法	野村総合研究所	NESMA 法	工数、期間
	TIS	TIS 手法	規模、工数
	日立システムアンドサービス	日立システムアンドサービス手法	FP、工数
	日立製作所	日立製作所手法	FP、SLOC、工数、工期
	富士通	ファンクションスケール法	ファンクションスケール（FS）
COCOMO 法	日本ユニシス	日本ユニシス手法	工数
独自モデル	日本 IBM	日本 IBM 手法	工数
	ジャステック	ジャステック手法	工数、規模、生産性

出典：「ソフトウェア開発見積りガイドブック」（IPA）より一部改変、社内で当該手法のみを用いているわけではない

開発・運用フェーズと見積りの関係

システムの開発フェーズによっても、使われる見積り法は変わってくる

フェーズ	利用する見積り	注意点
調査・企画	類推見積り、ボトムアップ見積り	規模、新規性、ビジネスコンサルティング的な要素があるかを考慮する必要がある
設計・開発	類推見積り、ボトムアップ見積り、係数モデル見積り	要求・要件の精度、規模・影響要因・リスク・価格の納得感の欠如などを考慮する必要がある
導入	類推見積り、ボトムアップ見積り	移行するデータの量、導入拠点の数などを考慮する必要がある
運用・管理	類推見積り、ボトムアップ見積り、係数モデル見積り	システムのライフサイクルコスト、運用における要求・要件の精度などを考慮する必要がある

システム開発では、どのような契約を結ぶのですか？

見積りと同様に、開発フェーズごとに契約します。

　システム開発の契約は、ユーザー企業とITベンダーの間、ITベンダーと協力会社の間などで結ばれます。一般に前者は契約時の見積り金額に基づいて支払う**請負型契約**が多く、後者はかかった時間数に対して支払う**準委任型契約**がほとんどです。しかしシステム開発のプロジェクトでは、しばしば仕様が変更されるために、問題が起こります。こうした状況を打開するために、経済産業省が**モデル取引・契約書**を公表しています。

　モデル取引・契約書ではシステム開発の課題として、機能追加・セキュリティ対策・コンプライアンス対策などによるユーザー企業の仕様変更、協力会社・オフショア先・パッケージソフト・オープンソースソフトのトラブルにおけるITベンダーの責任範囲、ソフトウェアの著作権をユーザー企業が持つことによるITベンダーの開発生産性の阻害などを上げています。特に仕様変更については、何段階かに分けて契約を結ぶことが推奨されています。つまり、フェーズごとの作業実態に応じて、準委任型契約と請負型契約の使い分けるのです。

Key word

完成責任と契約不適合責任

　請負契約では、すべての責任とリスクを「受託者」側が負う。責任のうち、特に重要なのが「完成責任」と「契約不適合責任」だ。完成責任とはITベンダーが情報システムを納品する責任。契約不適合責任は、情報システムに不具合が見つかった場合にITベンダーが無償で修正したり、代金を減額したり、ユーザー企業がシステム開発契約を解除したり、損害賠償請求したりする責任だ。ただし、契約不適合責任には「情報システムの不具合を見つけた時から1年以内」「情報システムの納品から最大5年以内」という期限が設定されている。なお、民法改正に伴って旧来の「瑕疵担保責任」が「契約不適合責任」に名称変更された。

ソフトウェア開発における契約の考え方
フェーズごとの準委任契約と請負契約の使い分けが重要になる

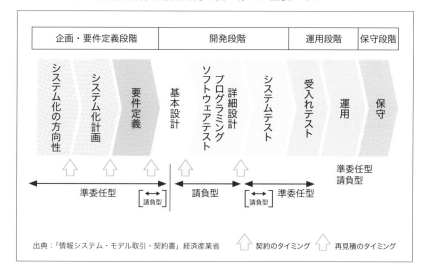

出典：「情報システム・モデル取引・契約書」経済産業省　⇧ 契約のタイミング　⇧ 再見積のタイミング

情報システム・モデル契約書
スクラッチ開発とパッケージ導入では、契約の考え方が変わってくる

ソフトウェア
開発委託基本モデル
契約書

主に大手ユーザー企業が情報システムを発注するにあたり、IT ベンダーと結ぶモデル契約書（マルチベンダ携帯に対応、ハードウェア取引は対象外）

パッケージソフトウェア
利用コンピュータシステム
構築委託モデル契約書

中小のユーザー企業がパッケージソフトや SaaS/ASP を活用した情報システムを導入するにあたり、IT ベンダーと結ぶモデル契約書

重要事項
説明書

IT ベンダーが「パッケージソフトウェア利用コンピュータシステム構築委託モデル契約書」を結ぶにあたって、ユーザー企業に対する説明し、同意を求める説明書

出典：「情報システム・モデル取引・契約書」経済産業省

システムの要件定義では、何をやるのですか?

必要な機能と求められる品質・技術などを決めます。

要件定義とは、ユーザー企業の要望を調査・分析して、システムによって実現すべき機能を確定させていく作業です。具体的には、ユーザー企業の経営者、情報システム担当者、業務担当者にシステム導入の目的・期間・予算を確認しながら、「システム化の目標を決める」「システム化要件候補を洗い出す」「システム化要件を絞る」「システム化要件に優先順位を付ける」という作業を行います。

しかし実際の開発では、システム化の目標やシステム化要件候補がはっきりしないこともしばしばで、SEには、曖昧な要件を明確にする作業が求められます。

また要件には、ユーザーの要求を満たすためにシステムが実現しなければならない**機能要件**と、システムが安定して稼動するために必要な性能・拡張性、可用性（システムが継続して稼働できる能力）、移行性（システムを容易に移行できる能力）、セキュリティなどの**非機能要件**が存在します。非機能要件は情報システム部門とともに決めていくことになります。

Key word

非機能要件と非機能要求グレード

情報処理推進機構（IPA）が定めた「非機能要求グレード」では、非機能要件として「可用性：いつでも使えるか、どれだけ安定感があるか」「性能 / 拡張性：どれだけ快適に使えるか、利用者が増えても大丈夫か」「運用 / 保守性：アフターサービスはきっちりしているか」「移行性：引っ越しや乗り換えは容易か」「セキュリティ：ウイルス対策などのセキュリティ対策がしっかりしているか」「システム環境 / エコロジー：設置環境は適切か、環境保護の観点で問題ないか」の6つをあげている。ITベンダーは、これらの非機能要件を決めるにあたり、コストと品質のバランスも考慮しなくてはならない。

システムの要件定義で明確にすること
システム化の範囲と、機能要件・非機能要件を洗い出す

分類			概要
機能範囲			システム化する範囲とシステム化しない範囲の境界の明確化
機能要件			システムの要求される機能
非機能要件	品質要件		システムの要求される品質
	技術開発要件	ハードウェア	ソフトウェア開発に必要な機器、納品後の稼働環境に必要な機器、通信機器など
		ソフトウェア	ソフトウェア開発に必要なパッケージソフト、基本ソフト（OS）、ミドルウェア、開発ツールなど
	その他の要件		運用要件、操作要件、移行要件、付帯作業など

機能要件定義の成果物
システムの振る舞いと、システムが扱うデータ、画面・帳票を明確にする

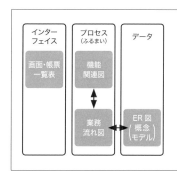

分類	成果物	目的
インターフェイス	画面・帳票一覧表	業務フローごとに必要となる画面・帳票と基本的なビジネデータの所在を明確にする
プロセス	機能関連図	業務機能間の情報（データ）の流れを明確にする
	業務流れ図	業務を処理する組織・手段・手順を明確にする
データ	ER図（概念モデル）	システム全体で扱うデータを図で明確にする

非機能要件定義の成果物（例）
品質や技術の要件のほか、運用・操作、システム移行、その他の要件も明確にする

品質要件		システムに対する品質に関する要件	● 機能性(相互運用性、セキュリティ、標準的合成など) ● 信頼性(障害特許性、回復性など) ● 使用性(理解性、習得性など) ● 効率性(時間効率、資源効率：レスポンスタイム、資源使用量など) ● 保守性(解析性、変更性など) ● 移植性(環境適応性など)
技術要件		ソフトウェアの開発、維持管理、支援および実行のための技術・環境に関連した要件	● システム実現方法 ● システム構成 ● システム開発方式（言語など）● 開発基準・標準 ● 開発環境
その他の要件	運用・操作要件	安定したシステム運用を行うための、検討対象のビジネス機能を実行するシステムについての運用要件と操作要件	● システム運用携帯 ● システム運用スケジュール ● 監視方法・基準 ● SLA（障害復旧時間など）● 災害対応策（DR）、業務継続策（BC）● 保存データ周期・量 ● エンドユーザー操作方法など
	移行要件	現行システムから新システムへの移行対象、移行方法などの移行に関する要件	● 移行対象業務 ● 移行データ量 ● 移行対象プログラム ● 移行対象ハードウェア・移行手順 ● 移行時期など
	付帯作業	システム構築に付帯する作業に関する要件	● 環境設定 ● 端末展開作業 ● エンドユーザー教育 ● 運用支援など
	その他	上記に該当しない要件	● コスト、納期の目標値 ● 電力量 ● 作業環境 ● フロア面積など

出典：「経営者が参画する品質要求の確保」（IPA）より一部改変

システムの要件定義では
どのようなツールを使いますか?

組織、業務、データの関係を見える化するツールを使います。

　要件定義でよく使われるのは、**機能情報関連図、業務流れ図、ER図**の3つです。

　機能情報関連図は、組織ごとに業務を分解し、さらに業務と業務との関連を見える化します。できた図は階層化されているので、優先順位の整理も容易です。機能情報関連図としては、**DMM**と**DFD**が有名です。いずれも多岐に渡る業務を一覧できるので、経営的な視点から業務を見ることに向いています。

　一方、業務流れ図は、個々のデータが処理される組織・場所・順序、人がやる作業とコンピュータがやる作業を独自の記号を使って見える化します。業務流れ図を書くことで、業務フローや業務プロセスだけでなく、部門間の役割分担なども明確化されます。代表的な業務流れ図には、**フローチャート、アクティビティ図、ユースケース図**があります。そしてER図は、システムが処理するデータとデータの関係を明確にします。

　なお要件定義では通常、業務流れ図における業務フローの詳細を記述するために**業務記述書**も利用されます。

Key word

フローチャート、アクティビティ図、ユースケース図

　要件定義で最も重要なのは、業務を処理する組織・手段・手順を明確にする業務流れ図だ。最も基本的な業務流れ図であるフローチャートには通常、データを処理する流れが示される。また、アクティビティ図は、スイムレーンによって組織横断的な業務を区画に分けて表現できるので、部門間の役割が明確化される。

　そしてユースケース図は、考えている機能（ユースケース）を内側にユーザーや外部環境（アクター）を外側に分け、人とシステムとの関係性を表現することで、情報システムによって解決する業務課題を見える化するために使われる。要件定義ではこれらを使い、どの業務をシステム化するかを詰める。

機能情報関連図
業務機能間のデータの流れを明確にする

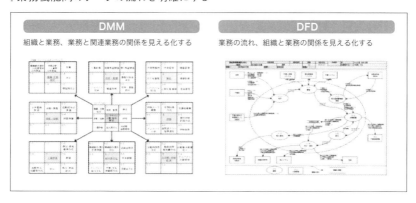

業務流れ図
業務を処理する組織・手段・手順を明確にする

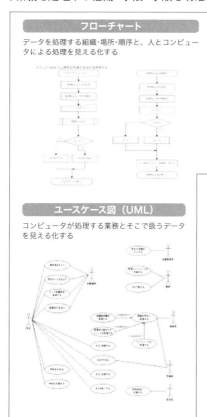

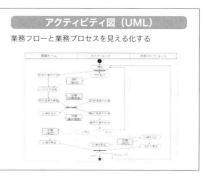

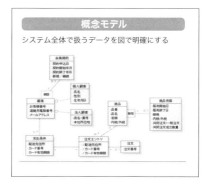

システムの基本設計では、何をやるのですか?

システムの機能、データの扱いなどを詳細化します。

「概要設計」や「外部設計」などとも呼ばれる**基本設計**では、要件定義書に基づいてシステムの機能や構造を決めます。具体的には、「洗い出した開発要件」「扱うデータとその扱い」「画面・帳票のレイアウト」「データベースのテーブル定義」などを基本設計書としてまとめることになります。

基本設計書は、外部とのやり取りを示す**インターフェイス**、データの扱いを示す**データ**、業務の流れを示す**プロセス**の3つで構成されます。すなわち、インターフェイスとして**システム構成図**や**画面・帳票レイアウト**、プロセスとして**業務処理定義書**や**機能一覧表**、データとして**テーブル定義書**や **ER図（論理モデル）** を作成するのです。

基本設計の役割は、「外から見たときにソフトウェアがどのように動作するか」を明確にすることです。そのためには、情報システムを機能単位に分割し（**サブシステム**）、「それぞれの機能がどのような役割を果たすか」「機能同士がどのようにつながるか」を決めなくてはなりません。これにより、システムの全体像を把握するのです。

Key word

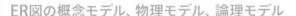

ER図の概念モデル、物理モデル、論理モデル

実体関連図とも呼ばれる「ER図」は、「実体（エンティティ）」と「実体の関連」を示した図である。実体とは独立した一意の対象物のことで、たとえば「顧客」や「注文」などが該当する（実体をどこまで詳細化するかは、開発フェーズによって変わってくる）。リレーショナルデータベース（RDB）の設計では、ER図の作成が必須となる。ER図は一般に、システム全体をモデル化した「概念モデル」（要件定義）、概念モデルにシステムで必要な属性を記述した「論理モデル」（基本設計）、論理モデルにデータの型（種類）やインデックス（注釈）などを記述した「物理モデル」（詳細設計）に分けられる。

システムの基本設計の流れ

要件定義書をインプットとして、基本設計書をアウトプットする

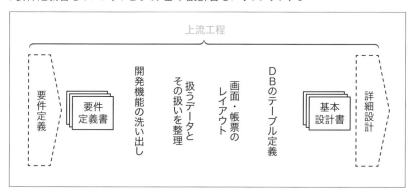

システム基本設計の成果物＝基本設計書

機能一覧表、ER図、システム構成図、画面帳票レイアウトなどを作成する

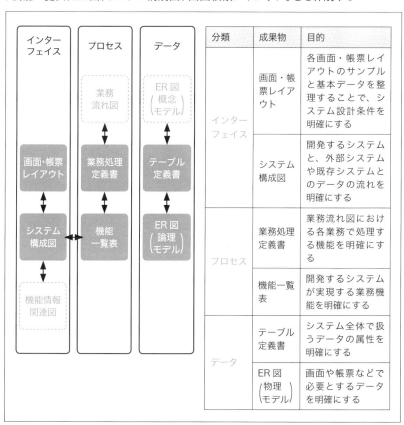

分類	成果物	目的
インターフェイス	画面・帳票レイアウト	各画面・帳票レイアウトのサンプルと基本データを整理することで、システム設計条件を明確にする
	システム構成図	開発するシステムと、外部システムや既存システムとのデータの流れを明確にする
プロセス	業務処理定義書	業務流れ図における各業務で処理する機能を明確にする
	機能一覧表	開発するシステムが実現する業務機能を明確にする
データ	テーブル定義書	システム全体で扱うデータの属性を明確にする
	ER図 (物理モデル)	画面や帳票などで必要とするデータを明確にする

121

システムの詳細設計では、何をやるのですか?

システムの機能、データの扱いなどを詳細化します。

「機能設計」や「内部設計」などとも呼ばれる**詳細設計**では、基本設計書に基づいてシステムの機能や構造などをプログラム単位に分割し、各プログラムの動作を定義します。具体的には、「詳細化した開発機能」「外部とのデータのやり取り」「画面・帳票の遷移」「詳細化したデータ」などを詳細設計書としてまとめます。

詳細設計書もまた、外部とのやり取りを示す**インターフェイス**、データの扱いを示す**データ**、業務の流れを示す**プロセス**の3つで構成されます。すなわち、インターフェイスとして**外部インターフェイス定義書**や**画面遷移図**、プロセスとして**機能設計書**、データとして**ER図（物理モデル）**を作成するのです。

詳細設計の役割は、「基本設計で決めたソフトウェアの動作をどのように実現するか」を明確にすることです。そのためには、情報システムの各機能を詳細化し、「具体的にどのようなデータ処理が行われるか」「データ処理同士がどのようにつながるか」を決めなくてはなりません。これにより、プログラム設計につなげるのです。

Key word

モジュールとモジュール分割

詳細設計では、機能をデータ処理に分割するとともに、共通化できるデータ処理を考える。この共通化するデータ処理が「モジュール」であり、データ処理に分割する作業が「モジュール分割」である。モジュールとはソフトウェアを構成する部品であり、モジュール単位でプログラムを開発しテストするのだ。これに

より、手分けして開発できるようになり、生産性向上やソフトウェアの再利用も容易になる。システム開発で使われるモジュール分割の手法には、データの流れに注目して入力・変換・出力の機能に分ける「STS分割」、データ処理のトランザクション（やり取り）ごとに分ける「TR分割」などがある。

システムの基本設計の流れ

基本設計書をインプットとして、詳細設計書をアウトプットする

システム詳細設計の成果物＝詳細設計書

機能設計書、詳細化したER図とテーブル定義書、画面遷移図などを作成する

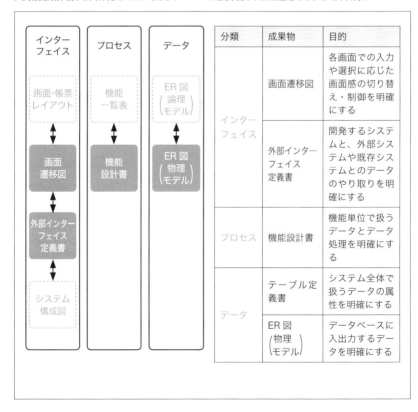

分類	成果物	目的
インターフェイス	画面遷移図	各画面での入力や選択に応じた画面感の切り替え・制御を明確にする
	外部インターフェイス定義書	開発するシステムと、外部システムや既存システムとのデータのやり取りを明確にする
プロセス	機能設計書	機能単位で扱うデータとデータ処理を明確にする
データ	テーブル定義書	システム全体で扱うデータの属性を明確にする
	ER図（物理モデル）	データベースに入出力するデータを明確にする

システム設計では、どのような方法論が使われますか?

プロセス中心、データ中心、オブジェクト指向の3つです。

　システム設計の方法論は、**プロセス中心設計（構造化設計）**、**データ中心設計（DOA）**、**オブジェクト指向設計（OOA）** という流れで進化してきました。

　プロセス中心設計は業務プロセスの単位でシステムを設計する方法論です。業務における「処理」の単位でシステムを設計するため、プログラムとデータを切り離せず、業務プロセスを変更する際には、システム全体を見直す必要があります。こうした問題を改善するために登場したのが、データ中心設計です。データ中心設計では、データが処理と独立して設計されているため、データを部品として再利用できます。そして、処理とデータの両方を再利用できる方法論として考案されたのがオブジェクト指向設計です。オブジェクト指向設計では、データと処理の両方を一体化した**オブジェクト**に着目して設計することで、ソフトウェアの部品化と変化に強いシステム構築が可能になります。

　なおデータベースの設計ではデータ中心設計が使われるなど、3つの方法論は現在もシステム開発で併用されています。

Key word

トップダウン設計とボトムアップ設計

　トップダウン設計とは、システム全体を把握した上で、システムを構成するサブシステムを設計し、さらにサブシステムを構成する機能を設計するなど、段階的に詳細化していくアプローチだ。トップダウン設計では、設計がほぼ完了するまで開発をスタートできない。一方、ボトムアップ設計とは、最初に個々のモジュールを設計した上で、モジュールを組み合わせて実現される機能を設計するなど、段階的に組み上げていくアプローチだ。ボトムアップ設計ではモジュール単位の設計が完了した時点で開発可能だが、後で設計変更を招くリスクがある。システム開発の現場では、通常、両方のアプローチを併用する。

プロセス中心設計

「業務プロセス」を単位として、システムを設計するアプローチ

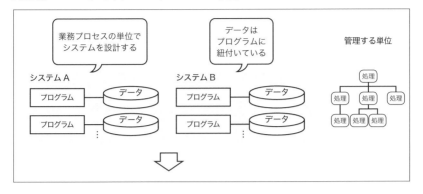

データ中心設計

「データ」を単位として、システムを設計するアプローチ

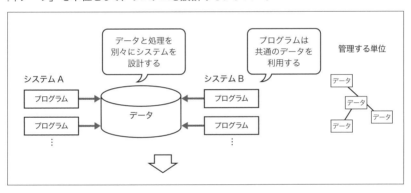

オブジェクト指向設計

「オブジェクト」を単位として、システムを設計するアプローチ

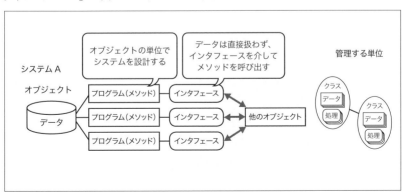

システム設計では、どのような ツールが使われますか？

設計の方法論によって、ツールを使い分けます。

　システム設計では通常、システムの構造や機能や振る舞い、情報の流れなどを図でまとめることで、プロジェクトのメンバー、情報システム部門の担当者、協力会社のメンバーの間でシステムの全体像を共有し、課題を洗い出します。このときに使われるのが、様々な**モデリングツール**です。

　使われるモデリングツールは、採用するシステム設計の方法論によって変わってきます。処理を対象に設計するプロセス中心設計では通常、任意のシステムやプロセスの情報の流れをマップ化する**DFD（データフローダイアグラム）**と呼ばれるツールが使われます。データを対象に設計するデータ中心設計で使われるのは**ER図**（論理モデル・物理モデル）です。

　そしてオブジェクト指向設計では、統一モデリング言語である**UML**のクラス図（静的構造図）やオブジェクト図（静的構造図）、シーケンス図（相互作用図）やステートチャート図（振る舞い図）などが使われます。

Key word

モデリングとUML

（ビジネス）モデリングとは、システム開発において、システムの構造や機能や振る舞い、情報の流れを抽象化することで全体像を把握し、課題を洗い出すために使われるシステム設計方法論。モデリングでは通常、業務やシステムに存在する情報、情報間の関係、情報の流れを四角や丸、矢印や線などの記号を使い表現

する。一方、UML（統一モデリング言語）は要件定義から設計に至るすべてのフェーズをカバーするモデリングツール。オブジェクト指向設計の普及に伴って、オブジェクト指向技術の標準化団体であるOMGが策定した。なお日本は、欧米と比較してモデリングツールの利用は低くなっている。

プロセス中心設計
DFDなどを利用

DFD
業務の流れ、組織と業務の関係を
見える化する

データ中心設計
ER図（論理・物理モデル）を利用

ER図（論理モデル）
概念モデルにシステム
で必要な属性を記述

ER図（物理モデル）
論理モデルにデータの方やインデック
スなどを記述

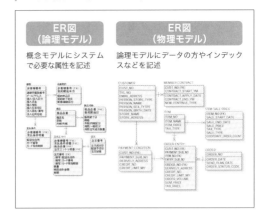

オブジェクト指向設計
クラス図やオブジェクト図などを利用

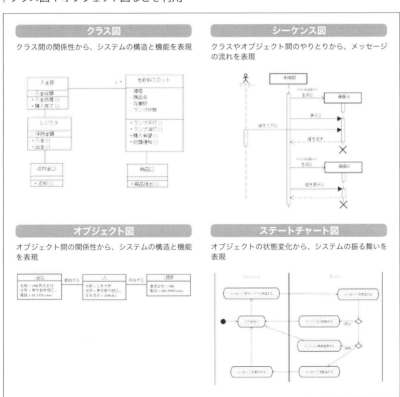

クラス図
クラス間の関係性から、システムの構造と機能を表現

シーケンス図
クラスやオブジェクト間のやりとりから、メッセージ
の流れを表現

オブジェクト図
オブジェクト間の関係性から、システムの構造と機能
を表現

ステートチャート図
オブジェクトの状態変化から、システムの振る舞いを
表現

127

プログラミング言語は、どのように選ぶのですか?

言語特性、生産性、エンジニアの確保などから選びます。

　プログラムの開発では、どのプログラミング言語で開発するのが適切かを考えなくてはなりません。言語の選択では、プログラミング言語の言語特性や生産性やデータベース接続、利用できるフレームワークや開発環境、そしてエンジニアの確保のしやすさなどを考慮します。このうち、エンジニアの確保では、社内や協力会社のリソースやスキルなどに着目します。

　業務システムの開発で使われているプログラミング言語は**手続き型言語**と**オブジェクト指向言語**に分類できます。COBOL や C などの手続き型言語はデータに対する手続き（処理手順）を記述するのに対して、Java や Ruby などのオブジェクト指向言語は「データ＋命令の単位＝オブジェクト」の単位でプログラミングします。一般に、手続き型言語は実績があり安定しています。一方、オブジェクト指向言語はソフトウェアの再利用性が高い反面、エンジニアに高いスキルが要求されると言われています。求められる情報システムの特性に応じて、どちらかを選ぶことになるのです。

Key word

命令型と関数型

命令型プログラミングとは、コンピュータの内部状態を変更する命令実行をプログラムとして書くアプローチ。一方、関数型プログラミングとは、関数の組み合わせでプログラムを書くアプローチだ。前者は考え方の基礎にコンピュータサイエンスがあり、後者は考え方の基礎に数学がある。一般に、命令型プログラミングには Java や C などの命令型（プログラミング）言語が使われ、関数型プログラミングには Scala や Haskell といった関数型（プログラミング）言語が使われる。関数型言語で作成した関数型プログラミングは、シンプルでコード量が少なく、数学的思考でロジックを組み立てられる。

プログラミング言語を選ぶにあたり考慮するべきこと
言語特性だけでなく、自社の特性（リソースや得意分野）も考慮する

選定基準	内容
言語特性	言語仕様、実行速度、汎用性、信頼性、型付け、実行モデルなど
データベース接続	主要なデータベースエンジンへの対応状況、サポート環境の有無など
フレームワーク	システム開発を容易にするルール・インターフェース仕様・コードの集合体の有無など
開発環境	コンパイラ・テキストエディタ・デバッガなどを一元管理して利用できるソフトウェアの有無など
エンジニアの確保	言語を習得しているエンジニアの人数、言語の習得難易度など
生産性	開発環境やフレームワークの有無も含めた、言語を利用したシステム開発の速度など

開発システム別の主要プログラミング言語
業務システムではJava、WebシステムではPHPやPythonなどが主流

業務システム開発	Webシステム開発	スマホアプリ開発
Java	PHP	
C	Perl	Objective-C
C++	Ruby	Java
VisualBasic	Python	JavaScript
.NET	JavaScript	Swift
C#	ASP.net	Kotlin
COBOL	Java	
SQL	SQL	

プログラミング言語による表記の違い（例）
同じ「hello world」というプログラムでも、言語によってこんなに変わる

Java

```
1  public class Main {
2    public static void main(String[]
3    args) {
4        System.out.println("hello world");
5        }
6  }
```

Python

```
1  print("hello world");
```

開発支援ツールには、どのようなものがありますか?

大規模開発で、統合開発環境の利用が増えています。

　プログラミングでは通常、エディタや**統合開発環境**（IDE）などの**開発支援ツール**が利用されます。エディタとは、PC などで文字（テキスト）情報を作成・編集・保存するためのソフトウェアであり、入力、削除、コピー、ペースト、検索、置換などの機能を備えています。高機能でカスタマイズ可能なエディタはソースコードの記述に用いられます。

　多くの開発現場で使われている統合開発環境は、ソースコードを記述するエディタ、ソースコードを機械語に変換するコンパイラ、プログラムの欠陥（バグ）を見つけるデバッガ、プログラムをテストするテストツール、プログラム説明書を自動生成するドキュメントツールなどを1つの開発画面上で操作できるツールです。IDE の優れた点は、ソースコード、設定用ファイル、アイコンといったファイルを一元的管理できること、GUI 開発を GUI 環境で行えることです。そのほか、Web アプリケーション開発に特化した開発環境である Web オーサリングツール、Android と iOS 向けのスマホ・タブレットアプリを開発可能なハイブリッドアプリ開発環境も提供されています。

Key word

プログラムとソースコード、プログラミングとコーディング

ソースコードはプログラミング言語で書かれたテキスト（ファイル）。ソースコードをコンパイルした機械語がプログラムである（ソースコード＝プログラムの元となるコード）。ただしソフトウェア開発の現場には、プログラムとソースコードを区別して使う人もいれば、区別せずに使う人もいれば、プログラムという概念にソースコードが含まれると考える人もいる。同様に「プログラミング＝コーディング」と考える人もいれば、区別して考える人もいる。区別する場合には、プログラミングはプログラム設計＋コーディングであり、コーディングにはプログラム設計が含まれないとみなすことが多い。

プログラミング用のエディタ
PCなどで文字（テキスト）情報を作成・編集・保存するためのソフトウェア

名称	URL	対応OS	レベル	価格
TeraPad	http://www5f.biglobe.ne.jp/~t-susumu/tpad.html	Windows	初級〜中級	無料
サクラエディタ	http://sakura-editor.sourceforge.net/	Windows	初級〜中級	無料
秀丸エディタ	http://hide.maruo.co.jp/software/hidemaru.html	Windows	初級〜中級	有料
Notepad++	https://notepad-plus-plus.org/	Windows	初級〜中級	無料
mi	http://www.mimikaki.net/	Mac OS	初級〜中級	無料
CotEditor	https://coteditor.com/	Mac OS	初級〜中級	無料
Emacs	http://www.gnu.org/s/emacs/	クロスプラットフォーム	中級〜上級	無料
Vim	http://www.vim.org/	クロスプラットフォーム	中級〜上級	無料
Visual Studio Code	https://azure.microsoft.com/ja-jp/products/visual-studio-code/	クロスプラットフォーム	中級〜上級	無料
Sublime Text	https://www.sublimetext.com/	クロスプラットフォーム	中級〜上級	無料

統合開発環境
エディタ、コンパイラ、デバッガ、テストツールなどを1つの画面で操作できるツール

名称	URL	対応OS	対応言語	価格
Eclipse	https://eclipse.org/	クロスプラットフォーム	Java、PHP、Perl、Ruby、JavaScriptなど	無料
Visual Studio	https://www.microsoft.com/ja-jp/dev/default.aspx	Windows	C#、Visual Basic、C++、Pythonなど	有料
JDeveloper	http://www.oracle.com/technetwork/jp/developer-tools/jdev/overview/index.html	クロスプラットフォーム	Java	無料
Cloud9	https://aws.amazon.com/jp/cloud9/	クラウド	JavaScript	無料
Jbuilder	https://github.com/rails/jbuilder	クロスプラットフォーム	Java	無料
NetBeans	https://ja.netbeans.org/	クロスプラットフォーム	Java、PHP、C、C++、JavaScriptなど	無料
Xcode	https://developer.apple.com/jp/xcode/	Mac OS	Objective-C、Swift	無料
Android Studio	https://developer.android.com/sdk/index.html	クロスプラットフォーム	Java	無料

Webオーサリング&デザインツール
Webアプリケーション開発用のツール

名称	URL	対応OS	レベル	価格
Dreamweaver	http://www.adobe.com/jp/products/dreamweaver.html	Win、Mac	中級〜上級	有料
Aptana Studio	http://www.aptana.com	クロスプラットフォーム	初級〜中級	無料
ホームページ・ビルダー	http://www.justsystems.com/jp/products/hpb/	Windows	初級〜中級	有料
Google Web Designer	https://www.google.co.jp/webdesigner/	クロスプラットフォーム	初級〜中級	無料
Adobe XP	https://get.adobe.com/jp/reader/otherversions/	Win、Mac	中級〜上級	有料
Figma	https://www.figma.com/	Win、Mac	中級〜上級	有料

ハイブリッド開発環境
iOSとAndroidの両方に対応したアプリの開発に使われるツール

名称	URL	対応OS	開発言語	価格
monaca	https://ja.monaca.io/	Win、Mac	JavaScript、CSS、HTML	有料
Sencha Touch	http://www.sencha.com/products/touch/	Win、Mac	JavaScript、CSS、HTML	有料
PhoneGap	http://phonegap.com/	Win、Mac	JavaScript、CSS、HTML	無料

プログラムのテストでは、何をやるのですか?

様々なアプローチで、プログラムの動作をチェックします。

　プログラムのテストでは通常、個々のモジュールを検証する**単体テスト**、単体テストに通ったモジュール同士を組み合わせたユニットを検証する**結合テスト（ユニットテスト）**という2つのテストが行われます。単体テストと結合テストは基本的にプログラム開発と同時並行する形で実施され、プログラミング言語や開発環境に依存するテストツールが使われることになります（「Ⅱ-28」参照）。

　単体テストとして行われるのは、主にモジュールの内部構造に着目して実施する**ホワイトボックステスト**とモジュールの入出力に着目して実施する**ブラックボックステスト**の2つです。一方、結合テストは、プログラムのどの部分から組み合わせるかによって、上位のモジュールから順次結合する**トップダウンテスト**と下位のモジュールから順次結合する**ボトムアップテスト**に分けられます。

　なお、単体テストは通常、自分のPC上（ローカル）に構築した**開発環境**、結合テストは通常、共有PC上などに構築した**検証（テスト）環境**で行われます。

Key word

ホワイトボックスとブラックボックス、トップダウンとボトムアップ

ホワイトボックステストでは、すべての命令を実行することで、モジュールが意図通り動作するかを確認する。プログラムの動作を確認するテストなので、設計書の誤解によるミスは見つけられない。出力結果を検証するブラックボックステストでは、プログラム内部の処理はチェックできないので、すべてのバグをつぶすことは難しい。またトップダウンテストでは上位モジュールを先に検証することで、機能漏れ、仕様の認識違いなどはつぶせるが、開発とテストの同時並行は難しく、ボトムアップテストでは、開発とテストを並行して進められるが、手戻りが発生する可能性がある。そのため併用することが多い。

単体テストと結合テスト、システムテストと受入テスト
基本的に、4つのアプローチで、プログラムとシステムをテストする

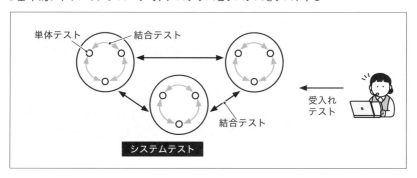

ホワイトボックステストとブラックボックステスト
モジュールの内部構造と、モジュールの入出力に着目して、プログラムの動作を確認する

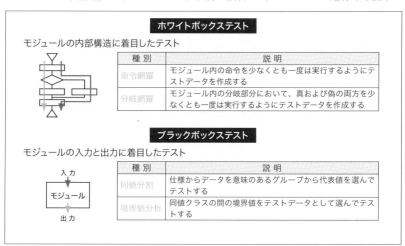

トップダウンテストとブラックボックステスト
上から下に結合して確認するテストと、下から上に結合して確認するテストがある

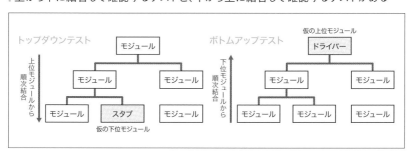

133

ソフトウェアテストではなぜ、ツールを使うのですか?

テストの生産性を高めるためです。

　一定規模以上のシステム開発では、通常、計画、設計、実施、管理というプロセスに沿ってテストを実施します。テスト計画では、テストの目的、対象範囲、実施方法、体制、環境、スケジュール、評価基準などをテスト計画書としてまとめ、関係者に確認を取ります。テスト設計では、テスト計画に基づいて、テストのシナリオやテスト内容、確認すべき項目などを決めて**テスト仕様書**にまとめ、チームごとに役割を決めてテストを実施します。そしてテスト管理では、各メンバーが「プログラムの欠陥＝バグ」を発見したら、番号を振ってバグ管理票に登録し、バグが修正されたらテスト報告書に記載することで、「バグ情報」を管理します。

　またソフトウェアテストの生産性向上では**テストツール**の利用も重要です。通常、テストの分析、設計、実装、コード解析、実行のためにツールが利用され、テスト結果やインシデント、テストウェア（テスト計画、テスト手順、テストコード、テストデータ、検証（テスト）環境、テスト結果など）の管理ツールも用意されています。

Key word

テストツールの機能と役割

テストツールは、テストフェーズと用途によって分類される。よく使われるテストツールには、マウスやキーボードの操作を記録し自動再生する機能テストツール、負荷がかかった状態におけるアプリケーションの動作を調べる負荷テストツール、主にブラックボックステストを支援する単体テストツール、プロセスごとのメモリ使用量を定期的に監視する性能監視・メモリ監視ツール、ホワイトボックステストをチェックする静的解析ツール、ブラックボックステストをチェックする動的解析ツールなどがある。また、こうした様々なテストを統合的に実施することが可能なツールは統合テスト環境と呼ばれる。

統合テスト環境

負荷、性能などの項目をテストすると同時に、進捗状況やバグを管理する

名称	URL	提供
Oracle Application Testing Suite	http://www.oracle.com/technetwork/jp/oem/app-test/index.html	オラクル
Rational Test RealTime	http://www-03.ibm.com/software/products/ja/realtime	IBM

機能テストツール

マウスやキーボードの操作を自動再生する

名称	URL	提供
HPE Unified Functional Testing	https://www.ashisuto.co.jp/product/category/quality/functional-testing/	アシスト
Rational Functional Tester	http://www-03.ibm.com/software/products/ja/functional	IBM

負荷テストツール

負荷がかかった状態におけるアプリケーションの動作を確認する

名称	URL	提供
HPE LoadRunner	https://www.ashisuto.co.jp/product/category/quality/loadrunner/	アシスト
Load Impact	http://loadimpact.com/	Load Impact
Web Capacity Analysis Tool (WCAT)	http://www.iis.net/downloads/community/2007/05/wcat-63-(x86)	マイクロソフト
Apache Jmeter	http://jmeter.apache.org/	The Apache Software Foundation

単体テストツール

ブラックボックステストを支援する

名称	URL	提供
JUnit	http://junit.org/	JUnit
JTest	http://www.techmatrix.co.jp/product/jtest/	テクマトリックス
C++Test	http://www.techmatrix.co.jp/product/ctest/	テクマトリックス
Agitar One	http://www.aicp.co.jp/products/agitarone.shtml	エーアイコーポレーション

静的解析ツール

ホワイトボックステストを支援する

名称	URL	提供
QAC / QAC++	https://www.toyo.co.jp/ss/products/detail/qac	東陽テクニカ
Coverity Static Analysis	http://www.coverity.com/html_ja/	Coverity
PGRelief J	http://jp.fujitsu.com/group/fst/product/pgr-java/	富士通
McCabe IQ	http://www.aicp.co.jp/products/mccabeiq.shtml	エーアイコーポレーション

性能監視・メモリ監視ツール

プロセスごとのメモリ使用量や性能を定期的に監視する

名称	URL	提供
Rational PurifyPlus	https://www.sra.co.jp/Rational/product/test/purifyplus.html	IBM
Insure++	https://www.techmatrix.co.jp/product/insure/index.html	テクマトリックス
DevPartner	http://www.microfocus.co.jp/products/devpartner/devpartner_fm/	マイクロフォーカス
VTune	http://www.xlsoft.com/jp/products/intel/vtune/	インテル

動的解析ツール

プログラムを実行して解析する

名称	URL	提供
DevPartner Java	https://supportline.microfocus.com/Documentation/books/DevPartner/doc/DPS/821/JA/Understanding%20DevPartner.pdf	マイクロフォーカス
HP Diagnostics	https://www8.hp.com/jp/ja/campaigns/hpsupportassistant/pc-diags.html	HP
IBM Rational Performance Tester	https://www.ibm.com/support/knowledgecenter/ja/SSBLQQ_9.0.0/com.ibm.rational.test.lt.doc/topics/c_rpt_ovr.html	IBM
Parasoft Jtest	https://www.techmatrix.co.jp/product/jtest/index.html	テクマトリックス

135

システムのテストでは、何をやるのですか？

本番同様の環境で、システムをテストします。

　システムのテストでは通常、結合テストに通ったすべてのプログラムを本番同様の環境において動作させる**システムテスト**、システムテストに通ったシステムをユーザー企業の情報システム部門や業務担当者が使ってみて、要件が満たされているかを確認する**受入れテスト（検収・承認）**という2つのテストが行われます。

　システムテストと受入れテストはシステムの導入フェーズで行われ、システムテストは、ハードウェアはもちろん、サーバ、ミドルウェア、データベース、データまで、本番とほぼ同じ**ステージング環境**で行われます。そして受入れテストは、実際の業務で使っている本番データを使って**本番環境**で実施することで、想定外のデータが存在しないことなどを確かめます。

　なおシステムテストでは、機能だけでなく、サーバ、ミドルウェア、データベースなどの基本ソフトのバージョン違いによるトラブルが発生しないか、システムの性能は十分か、負荷をかけても大丈夫か、データのバックアップや復元などの作業に問題はないかなども確認します。

Key word

開発環境、検証環境、ステージング環境、本番環境

テストには通常、開発環境、検証（テスト）環境、ステージング環境、本番環境という4つの環境が使われる。開発環境と検証環境を分ける理由は、開発とテストを同時並行するためだ。ただし、システムの規模が小さいときには、開発環境で結合テストを実施することも多い。特に、「設計→開発→検証」を短い期間で繰り返すアジャイル開発では、検証を自動化させて、開発環境で実施することがほとんどである。検証環境は通常、ローカルではなく、サーバ上に用意する。ローカルでは動作するが、サーバ上では動作しないかなどもチェックするためだ。そしてステージング環境では、運用上の問題を確認する。

システムテストの種類
特殊な環境におけるシステムのふるまい、セキュリティや構成の仕様などを確認する

名称	テスト内容
負荷テスト	システムがどこまでの負荷に耐えられるかを確認するテスト。一定時間システムを連続稼働させて安定稼働できるかどうかを確認するロングラン・テスト、単位時間あたりの処理件数を測定する「高頻度テスト」、データのサイズや量の限界を確認するボリューム・テスト、メモリーやディスクなどを極端に少なくした状態での動作を確認するストレージ・テストなどがある
パフォーマンステスト	負荷を増した時のシステムの挙動やボトルネックを確認するテスト。システムへの負荷のかけ方が負荷テストと同様であるため、負荷テストと合わせて実施されることが多い
障害テスト	テストシステムの設計や要件で想定されている障害に対しての動作を確認するテスト。システムが正しく動作すること、意図しない動作や新たな障害が発生しないことなどを確認する
セキュリティテスト	テストセキュリティ・ポリシーがシステムに正しく反映されていることを確認するテスト。チェック項目としては、外部からの不正アクセス、内部での権限/承認コントロール、情報の漏えい、などがある
構成テスト	システムのハードウエア、OS、ミドルウエア、データベース、通信ソフトウエアなどが設計仕様書通りか、それで問題ないか、仕様書から変更した場合にどのような影響が出るかを確認するテスト

受入れテストの種類
エンドユーザー、情報システム部門、将来のユーザーなどがシステムを確認する

種類	内容
ユーザー受入れテスト	業務部門のエンドユーザーが業務で実際に利用可能かを確認するテスト
運用受入れテスト	情報システム部門の担当が運用上問題がないかを確認するテスト
契約受入れテスト	情報システム部門の担当が納品されたシステムに問題がないかを確認するテスト
規定受入れテスト	情報システム部門の責任者が法律・安全基準・各種規制などの点で問題がないかを確認するテスト
サイト受入れテスト	サイトのユーザーや顧客がサイトの画面や機能などに問題がないかを確認するテスト
フィールドテスト	将来のユーザーや顧客がシステムの使い勝手や印象などを評価するために実施するテスト

システムの納品時には、何が求められますか？

納品書を提出し、検収書をもらいます。

　多くのプロジェクトでは、システム納品時に操作・業務・障害対応の**マニュアル**と**システム仕様書**を一緒に納品することが求められます。こうしたマニュアルは、システムにあまり詳しくない業務担当者も利用するため、わかりやすく作成することが非常に重要なります。マニュアルを整備し、エンドユーザーにシステムの使い方をきちんと教えることで、サポートの手間がある程度省けるだけでなく、業務担当者から問題点などのフィードバックが得られ、システムを効率的に改善していくことも可能になるからです。

　ところが多くの場合、操作マニュアルや運用マニュアルはシステムに詳しいエンジニアの視点で書かれるため、わかりにくく、ときには必要な情報が掲載されないなどの問題が起こっています。

　そして、システムと各種ドキュメントを納品し（納品書）、受入れテストが無事完了して、システムが無事納品されたことを証明する**検収書**にユーザー企業の担当者から**検収印**をもらうと、システム導入は完了となります。

Key word

受入れテストと検収印

受入れテストでは、業務担当者や情報システム担当者などが、システムの機能や性能を確認する。具体的には、通常の業務で行うのと同様にデータを入力し、「正しく業務が処理できているか」「操作性や運用面で問題がないか」「性能は十分か」「法律・安全基準・規制などの面で問題ないか」などをチェックする。問題

ないことが確認できれば、検収印をもらい、開発プロジェクトは終了となる。ただし実際のシステム開発では、多少の不具合があっても大きな問題がなければとりあえず納品し、その後に不具合（バグ）を修正したり、機能を追加したりしているケースがほとんどだ（そうした関係作りが営業に求められる）。

システムテスト後の流れ
多くの場合、バグを修正後に再納品することになる

システム納品時に求められるドキュメント
各種マニュアルとシステム仕様書も納品することになる

種類	内容
操作マニュアル	システムの操作方法を記述するマニュアル。システムの起動・終了方法、システムの全機能とその使う際の操作方法などを記述する
業務マニュアル	システムによる業務の進め方を記述するマニュアル。業務の手順とともに、各手順で利用するシステムの機能などを記述する
障害対応マニュアル	システム障害が発生した際の対処方法を記述するマニュアル。業務担当でも対応可能な障害に対する対処方法のみを記述し、対応できない障害は情シス担当に連絡するように記述する
システム仕様書	システムの仕組みや構造、構成を記述する仕様書。業務担当がマニュアルを理解するうえで役立つ知識をわかりやすく記述する

システム検収の考え方
情報システム部門が機能、性能、保守性、ドキュメントなどをチェックする

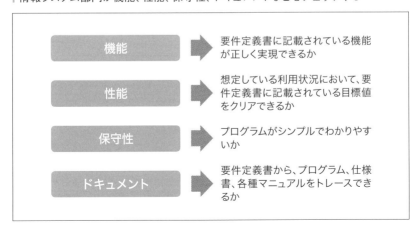

システムの運用管理では、何をやるのですか?

ユーザーがシステムを利用できるように支援します。

　システムの**運用管理**とは、システムを安定稼働させるために、システムの構成、性能、障害、アカウント、セキュリティを管理する業務です。運用管理の業務には、通常、ユーザー企業の情報システム担当とITベンダーの運用管理担当が協力して従事します。運用管理担当はシステムの性能や環境（電源、空調、防災、防犯）の確保はもちろん、エンドユーザーや情報システム担当からの質問対応、障害発生時の対応、システムの不正使用や情報漏洩の防止、さらにはシステム運用コストの管理などを担います。

　現在、企業の情報システム投資は、既存システムの運用管理が7割、新規システムの開発は3割程度と言われており、ユーザー企業にとって効率的な運用管理の重要性は高まる一方です。

　ただし運用管理に予算をかけすぎると、本来企業の事業を支えるべきシステムが足を引っ張ることにもなりかねません。そのためシステムの運用管理を考える際には、システムによって得られる利益とシステム障害による損失などから、予算を決めることになります。

Key word

運用費と保守費

　運用管理コストは、システムを安定稼働させるための「運用費」とソフトウェアを改良・最適化してバグを修正するための「保守費」に分類される。運用費には、ソフトウェアやハードウェアなどの償却費のほか、内部人件費や業務委託費などの運用人件費などが含まれる。一方、保守費には、ソフトウェアやハードウェアの保守費のほか、保守人件費などが含まれる。そして保守人件費には、ユーザーからの問い合わせ対応のほか、ユーザーの要望に応じた修正、バグの修正、環境変化に応じた修正、ネットワークや電源・空調設備などのインフラの整備、潜在的な欠陥の修正などの項目が含まれることになる。

システム運用管理の業務

構成、性能、障害、アカウント、セキュリティを管理する

構成管理	システムの構成を把握し、ハードウェアの利用状況などを監視し、メンテナンスし、ドキュメント化する
性能管理	システムの応答速度やスループットなどを確認し、必要に応じて機器を追加したり、回線を変更する
障害管理	システムの障害を検出し、障害発生時に、システムを復旧し、事後処理と再発予防処置を講じる
アカウント管理	システムのユーザーについて、アカウントの追加、削除、利用状況の確認を行う
セキュリティ管理	システムを構成するサーバ、クライアントマシンについて、OS のアップデートやセキュリティパッチの配布、セキュリティ攻撃への対処などを行う

システム運用管理の考え方

システムの価値に応じて、運用コストを決める

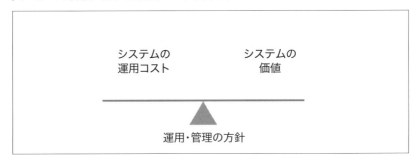

システム運用管理のコストと削減策

社内の人件費と外注費が4割近くを占める

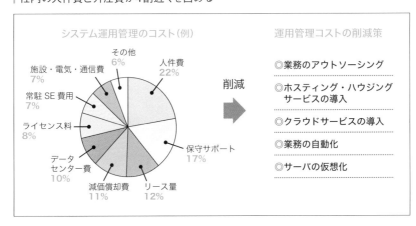

システムの構成管理では、何をやるのですか?

監視・メンテナンスとデータ・ドキュメントの管理です。

　運用管理におけるシステムの**構成管理**とは、システム構成を把握し、主にハードウェアの利用状況などを監視し、メンテナンスする業務です。監視・メンテナンスの対象となるのは、サーバや PC（クライアント）、モバイル端末やネットワーク機器などのハードウェアのほか、ユーザーのアカウントや利用状況、IP アドレスや回線・接続情報、サーバが置かれる施設の配線、電源・空調機器などです。

　システムの運用管理では、ユーザーの要望、システム環境の変化などによって、**システム構成**の変更が必要になりますが、変更時には、システム納品時に作成したドキュメントを修正します。変更点の各種ドキュメントへの反映、ファイルやシステムのバックアップ取得も、構成管理の業務として行われるのです。

　なおシステム開発においては、ソフトウェアの構成管理を実施します。この目的は、ソフトウェアに対する変更や修正をすべて記録し、ソースコードを復元できるようにすることであり、システムの構成管理とは別の業務です。

Key word

構成管理の自動化とIT資産管理

　脆弱性発見や障害発生の対応では、情報システムの「構成情報」が重要になる。構成管理はシステムの安定稼働に欠かせないのだ。また上場企業などでは、IT 資産を管理する上でも構成管理が重要になる。減価償却などで必要となる IT 資産管理では、すべての機器・設備・ソフトウェアを個別に管理しなくてはならない

からだ。しかし、システム構成が複雑化するなかで、大規模システムの構成管理をすべて手動で実施するのは難しくなっている。そのため最近は、機器・設備などに簡便なプログラムをインストールして、自動的に情報を取得し、構成情報を更新する構成管理ツールが利用されるようになっている。

システム監視・メンテナンス業務の対象

システムが正常に稼働するように、機器や設備、情報などを監視・メンテナンスする

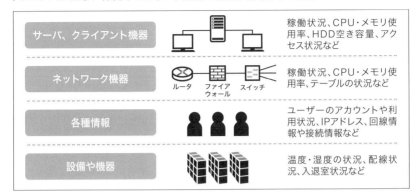

サーバ、クライアント機器	稼働状況、CPU・メモリ使用率、HDD空き容量、アクセス状況など
ネットワーク機器	稼働状況、CPU・メモリ使用率、テーブルの状況など
各種情報	ユーザーのアカウントや利用状況、IPアドレス、回線情報や接続情報など
設備や機器	温度・湿度の状況、配線状況、入退室状況など

構成管理するドキュメント

システム導入時に納品されたドキュメントなどを更新する

要件定義書	システムの仕様変更時、リプレイス時に更新
システム提案書	システムの仕様変更時、リプレイス時に更新
システム設計書	システムの仕様変更時、リプレイス時に更新
ネットワーク構成図	ネットワーク構成を変更した際に更新
ハードウェア構成図	ハードウェア構成を変更した際に更新
ソフトウェア構成図	ソフトウェア構成を変更した際に更新
ハードウェア機器一覧	ハードウェア構成を変更した際に更新
ソフトウェア一覧	ソフトウェア構成を変更した際に更新
運用設計書	システムの運用管理手順を変更した際に更新
操作マニュアル	システムの操作手順を変更した際に更新
業務マニュアル	システムを使った業務手順を変更した際に更新
障害対応マニュアル	障害対応の対処方法を変更した際に更新
システム仕様書	システムの仕様変更時、リプレイス時に更新

バックアップの種類

ファイルのみをバックアップする場合とシステム全体をバックアップする場合がある

システムの障害対応では、何をやるのですか?

障害を検知し、切り分け、復旧し、再発防止に努めます。

　どんなに堅牢に構築された情報システムでも、長い間運用していれば必ず障害が発生します。そうした障害に対応するのも運用管理業務の一環です。

　通常、**システム障害**の対応は「障害の検知、関係者への連絡・ヒアリング」「障害の切り分け（障害箇所の特定）」「システムの復旧」「関係者への連絡」「障害原因の究明」「再発防止策の立案」「障害の記録（**障害対策マニュアル**）」というプロセスで進められます。現在、一定規模以上のシステムは、ネットワーク経由ですべての機器を監視しており、障害や負荷過多などが発生するとただちにメールなどで半自動的にシステムの運用管理担当などに通知されます。

　また多くの企業において、システム障害の影響を最小限にするために、複数台のコンピュータを相互接続し全体で1台のコンピュータのように振る舞わせてマシンが落ちないようにする（**クラスタリング**）、同じデータを同時に複数のハードディスクに保存する（**ミラーリング**）などの対策が採られています。

Key word

障害の一次切り分けと二次切り分け

障害の一次切り分けでは、障害発生前後の操作を把握することで、ハードウェアやソフトウェアの障害なのか、ヒューマンエラーによる障害なのかを特定する（後者の場合には比較的、復旧は難しくない）。前者の場合には通常、下から上の順（ネットワーク→ハードウェア→基本ソフト・ミドルウェア→アプリケーショ ン）に問題がないかを確認し、死活監視（ネットワーク・サーバの稼働状況を確認）、リソース監視（CPU・メモリ・ディスク使用率を確認）、プロセス監視（アプリケーションの応答状況などを確認）を実施する。なお障害対応では、障害の検知方法と対応手順を事前に決めておくことになる。

システム障害対応の流れ
まずは、システムを復旧させた上で、原因を突き止めて、再発防止を図る

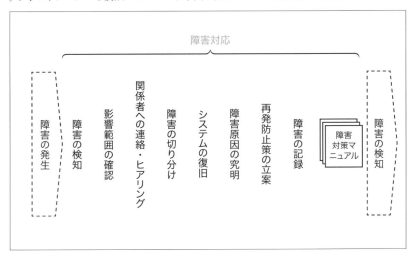

システム障害の主な症状
これらの挙動がシステムが正常に動作していないことを示す

システム障害の原因
ハードウェア、ソフトウェア、ヒューマンエラーがシステム障害の原因となる

原因	具体例
ハードウェア障害	機器の故障、停電・過電流・過負荷などによる機能停止・応答遅延
ソフトウェア障害	機能的な不具合（データが壊れる、使いたい機能が使えない）、非機能的なバグ（画面が乱れる、表示がずれる）、外部からの攻撃
ヒューマンエラーによる障害	過失・思い込み・勘違いによる誤操作

アカウントとセキュリティの管理では、何をやるのですか?

アカウントの設定・削除、セキュリティ対策などを実施します。

　運用管理における**アカウント管理**とは、エンドユーザーに対して、必要に応じてアカウントを追加・削除し、アカウントの権限を設定し、アカウントごとの利用状況を把握することで、システム運用の安全性を確保する業務です。アカウント管理にあたっては、パスワードの設定支援や管理、ファイル共有の設定なども求められます。

　一方、セキュリティ管理では、会社のセキュリティポリシーに基づいて、**サイバー攻撃**の対策、Web サーバの防御、PC やモバイル端末の盗難・紛失の対策（暗号化や認証システムの導入）、ログの取得・分析などを実施します。セキュリティポリシーは通常、情報システム部門や人事部、法務部のスタッフで構成される情報セキュリティ委員会が、会社の経営方針や目的、心情や責任などに基づいて策定します。

　なお、ネットワークセキュリティを管理するにあたっては、**ファイアウォール**や **IDS/IPS** や **WAF**（**Web アプリケーションファイアウォール**）と呼ばれる防御壁を設置するなどの対策が多くの会社で採られています。

Key word

ファイアウォール、IDS/IPS、WAF

ファイアウォールは、ネットワークへの攻撃をブロックする。ファイアウォールには、パケット情報によって通信を制御する「パケットフィルタリング型」、アプリケーションごとの通信を制御する「アプリケーションゲートウェイ型」、セッション（1 回のやり取り）単位での通信を制御する「サーキットレベルゲートウェイ型」がある。また、OS やミドルウェアへの攻撃を防ぐ IDS/IPS では、IDS が検知・通知し、IPS がトラフィック遮断などにより防御する役割を担っている。そして、WAF は通信データの内容を解析することで、Web アプリケーションの脆弱性を利用した攻撃をブロックする。

アカウント管理で求められる業務
アカウントを追加・削除・設定・調査と、アカウントに紐づくパスワード、ファイルに関する業務

種類	内容
アカウントの追加・削除	入社・転職・転勤などに伴う、新規アカウントのID・パスワード・権限（所属）の設定、既存アカウントの削除などを行う
アカウントの設定・調査	ソフトウェアやメールの利用などに関する権限設定、アカウントごとのソフトウェア・ファイル・外部アクセスといった利用状況の把握などを行う
パスワードの運用	セキュリティポリシーや実施手順に基づく、エンドユーザーのパスワード設定を支援し、ユーザーごとのパスワードを管理する
ファイルの共有設定	ユーザーごとにファイルやプリンタへのアクセスを設定することで、情報漏えいなどのリスク回避と利便性向上の両立を図る

セキュリティ管理で求められる業務
サイバー攻撃や盗難・紛失時の対策のほか、ログの取得・分析業務なども対象

種類	内容
サイバー攻撃対策	マルウェア、不正侵入、パスワードハック、DoS攻撃、スパムメールなどのサイバー攻撃に対する対策を実施する
Webサーバの防御	OSやアプリケーションのアップデート、ファイヤウォール・WAF・IPSの導入などにより、Webサーバに対する外部からの攻撃を防ぐ
盗難・紛失・ソーシャルエンジニアリング対策	HD暗号化ソフトやシンクライアントの導入、セキュリティポリシーや実施手順の徹底などにより、盗難・紛失などによる情報漏えいを防ぐ
ログの取得・分析	ログ取得を設定し、定期的にダウンロードしてログサーバに蓄積するログデータを分析することで、問題のあるログを特定し、対策を実施する

セキュリティポリシーの考え方
ポリシーに基づいて、実際の作業手順・手法・手段などを決める

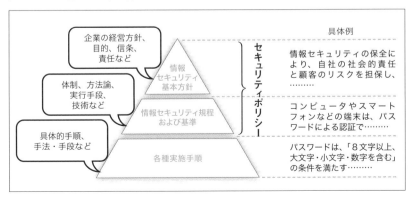

147

なぜ、ハウジング、ホスティング、クラウドを利用するのですか?

業務効率を向上し、コストを引き下げるためです。

　システムの運用管理では、データバックアップ、システム監視、障害対応などを組み込んだサーバの**ホスティング**や**ハウジング**、**クラウドサービス**（「Ⅲ-14」参照）の利用が広がっています。いずれも、ユーザー企業が外部事業者と契約を結び、サービスを利用します。

　サーバのホスティングは、電源、サーバ、基本ソフト、ネットワーク機器、回線などのインフラを用意するサービスで、1台のサーバを1つあるいは複数システムで共有します。一方、サーバのハウジングは、ユーザー企業自身が持ち込んだ自社の機材に対して、スペース、回線、システムの監視と障害対応を提供するサービスです。ソフトウェアの環境や施設への自由な入館が制限されるホスティングに対して、ハウジングは自由度が高く、サーバの機種、OSの種類、ネットワーク構成、拡張性などを柔軟に決められます。

　近年、ホスティングやハウジング、クラウドサービスを利用する企業は増えていますが、利用にあたっては、障害対応やバックアップのフローを確認する必要があります。

Key word

DMZとバリアセグメント

DMZ（非武装セグメント）とは、外部接続されたネットワークにおいて、外部と内部の中間地帯に設置したネットワーク領域のこと。内部ネットワークとDMZの間には、ファイアウォールが置かれる。DMZにはWebサーバやメールサーバなどが設置され、DMZ内へ内部ネットワークからアクセス可能な一方、DMZ内から内部ネットワークにはアクセスできない。これにより、DMZ内のサーバ乗っ取り、DMZ内サーバのウイルス感染の際に、業務システムなどへの不正アクセスを防止できる。なお、内部ネットワークのうちファイアウォールなどで保護されずに外部接続されている領域はバリアセグメントと呼ばれる。

ハウジング、ホスティング、クラウドサービスの比較
ユーザーの規模や用途、サーバの環境やカスタマイズなどに応じて、選択することになる

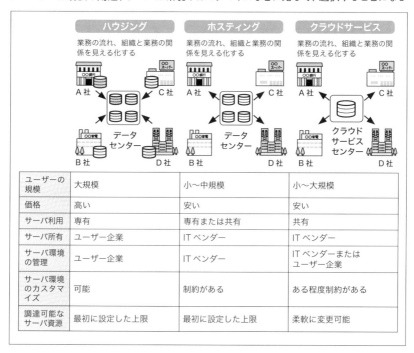

	ハウジング	ホスティング	クラウドサービス
ユーザーの規模	大規模	小～中規模	小～大規模
価格	高い	安い	安い
サーバ利用	専有	専有または共有	共有
サーバ所有	ユーザー企業	IT ベンダー	IT ベンダー
サーバ環境の管理	ユーザー企業	IT ベンダー	IT ベンダーまたはユーザー企業
サーバ環境のカスタマイズ	可能	制約がある	ある程度制約がある
調達可能なサーバ資源	最初に設定した上限	最初に設定した上限	柔軟に変更可能

データセンターにおける障害監視体制
現在は、リモートでの監視、対応が基本となっている

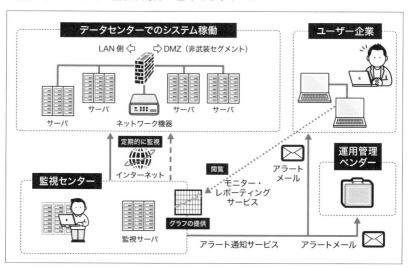

運用管理では、なぜSLAや ITILが重要になるのですか？

安定して品質の高い運用業務が求められているからです。

　SLA（Service Level Agreement）とは、サービス提供側と受ける側との間で交わされるシステムのサービスレベルに関する契約です。SLA には通常、システムの内容や品質（性能）、課金項目、問合せ受付時間、システム障害時の復旧時間、契約事項が履行されなかった場合の罰則が定量化された数値で明示されます。当初、米国大手通信事業者によって導入された SLA は、現在、ハウジング、ホスティング、クラウドサービスの事業者にも導入されています。これは、一部の Web システムではサービス停止が売上ダウンに直結するためです。

　一方、業務を円滑に遂行するためのシステム運用管理体系である**ITIL** では、システムの役割を業務遂行のための IT サービスと捉えます。その上でサービス向上を、ユーザーの業務上の要望を実現させるサービスサポートと、システム自体を長期的な視点で改善していくサービスデリバリーの2つで実現します。なお、ITIL はあくまでベストプラクティス集であり、導入にあたっては実際の業務に照らして、業務内容や組織規模などに応じてプロセスを決める必要があります。

Key word

サービスサポートとサービスデリバリー

ITIL において、サービスサポートでは、インシデント（正常な運用を妨げる事象）、問題（原因追求が必要な問題）、構成（システムの構成情報）、変更（ドキュメントやシステムの変更）、リリース（変更に伴うリソース）などを管理する役割を、サービスデリバリーには、サービスレベル（SLA）、IT サービス財務（IT コストと ROI）、キャパシティ（リソース）、IT サービス継続性（顧客への影響）、可用性（システムとマンパワーの可用性）などを管理する役割を担っている。つまり、サービスサポートには日々の運用方法が、サービスデリバリには中長期の IT マネジメント手法が解説されているのだ。

SLA (Service Level Agreement) の例
情報システムのサービスレベルに関する契約

分類	サービスレベルの項目	サービスレベルの説明	SLA
可用性	サービス時間	ユーザーが受けるサービス提供時間ただし、メンテナンス時間 は除く	24 時間 365 日
	サービス稼働率	（サービス提供時間－停止時間）÷サービス提供時間 100 [%]	99.70%
	障害回復時間	障害を検知 した時間から、障害が回復してユーザーがサービスを受けれるまでの時間	1 時間を越えないこと
	障害通知時間	障害が発生してから、ユーザーに障害が発生したことを通知するまでの時間	30 分を超えないこと
パフォーマンス	応答時間	一定時間（1 時間）内の全トランザクションの 95% が含まれる応答時間	3 秒以内（非ピーク時）、5 秒以内（ピーク時）
保全性	データ・ログの保全性	システム上のデータベース、ログの保持期間	ログ 7 日 間、データベース 31 日間

ITIL (Information Technology Infrastructure Library) の例
システムの運用管理を円滑に遂行するための方法論

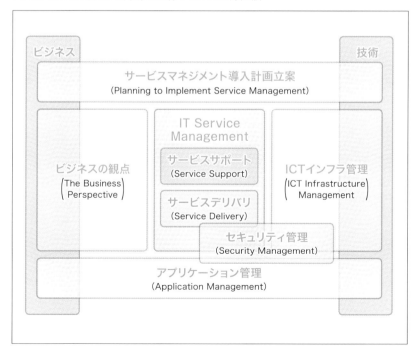

151

システムのリプレイスは、なぜ必要になるのですか？

システムに求められる役割や技術が変わるからです。

　システムの**リプレイス**とは、現在稼働しているシステムを現実のビジネスあるいは新たな業務に合った形に作り直すことです。

　開発当時には、どれほど高性能できちんと構築されていたシステムも、技術の進歩、ビジネスや業務の変化、データ量の増加などによって、ユーザーのニーズに合わなくなります。IT ベンダーは、運用管理の一環としてシステムを修正していますが、それが続けば数年後にはシステムがつぎはぎだらけになってしまいます。またシステムの運用管理フェーズでは、使わなくなった機能を削除しないため、これがシステムの性能を落とす原因となっています。このようにして、全体として無駄が多く、仕様が不透明になるため、一定期間でシステムをリプレイスする必要があるのです。ここ数十年で特に多かったのは、汎用機システムから C/S システムへのリプレイス、C/S システムから Web システムへのリプレイスです。

　なお現在、業務システム開発の多くは、リプレイス案件がほとんどで、まったくの新規案件は少なくなっています。

Key word

レガシーシステムとリプレイス開発

リプレイスには、レガシーシステムを捨ててゼロから作り直す方法（スクラッチ開発）、レガシーを可能な限り活かしつつ必要な部分を追加・変更・削除する方法（現行システムの流用）、業務アプリケーションパッケージを導入する方法（パッケージ開発）がある。現行システムの流用が安いと思われがちだが、スクラッチ開発やパッケージ開発のほうが安くなることもある。また現行システムは、性能や使い勝手では劣るものの、様々なバグが修正され、機能が追加されている（枯れたシステムと呼ばれる）。スクラッチ開発やパッケージ導入であれば、こうした過去の資産の多くを捨てなくてはならないため、判断が難しい。

システム開発のトレンド
時代の変遷とともに、開発するシステムが変わり、使う言語や技術も変わる

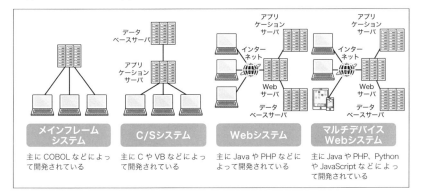

システムリプレイスの流れ
基本的な考え方はシステム開発と同じだ

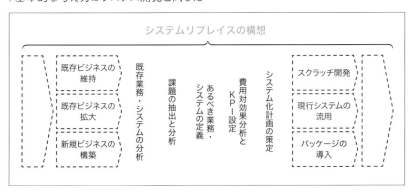

システムリプレイスに伴うリスク
いずれの選択肢にも、メリットもあれば、デメリットもある

読んでおきたい書籍 [業務編]

プログラムはなぜ動くのか　第2版
知っておきたいプログラムの基礎知識
矢島 久雄 著

2,640 円、296p、
2007 年 4 月、
日経 BP 社

リーダブルコード
より良いコードを書くためのシンプルで実践的なテクニック
ダスティン・ボスウェル、
トレバー・ファウチャー 著、角 征典 訳

2,640 円、260p、
2012 年 6 月 23 日、
オライリージャパン

マスタリング TCP/IP 入門編
第 5 版
竹下 隆史、村山 公保、荒井 透、
苅田 幸雄 著

2,420 円、376p、
2012 年 2 月 25 日、
オーム社

誰のためのデザイン？　増補改訂版
認知科学者のデザイン原論
D・A・ノーマン 著
岡本明、安村通晃、伊賀聡一郎 ほか訳

3,630 円、520p、
2105 年 4 月 23 日、
新曜社

　『プログラムはなぜ動くのか？』は、IT 関連の仕事に就いたら、最初に読むべき 1 冊かもしれません。プログラムがコンピュータをどのように動かしているかをハードウェアや OS の仕組みとともに図解で解説しています。『リーダブルコード』は、（他人が）理解しやすいコードとは何かを、様々なパターンをあげながら、名前の付け方やコメントの書き方だけでなく、ロジックの組み立て方やデータ処理、変数の扱いなどから解説した一冊です。

　インターネット接続の標準プロトコルである TCP/IP はネットワークエンジニアだけでなく、すべての IT エンジニアに必要な知識です。その解説書として、最も有名なのが『マスタリング TCP/IP』です。また『誰のためのデザイン？』は、「そもそも使いやすい製品・サービスとは何か」を考える上で、非常に役立つ一冊です。ユーザー視点に立って考える思考法は、IT 分野でも必ず役に立つ筈です。

最新の常識

Ⅲ部

ITビジネス・技術のトレンド

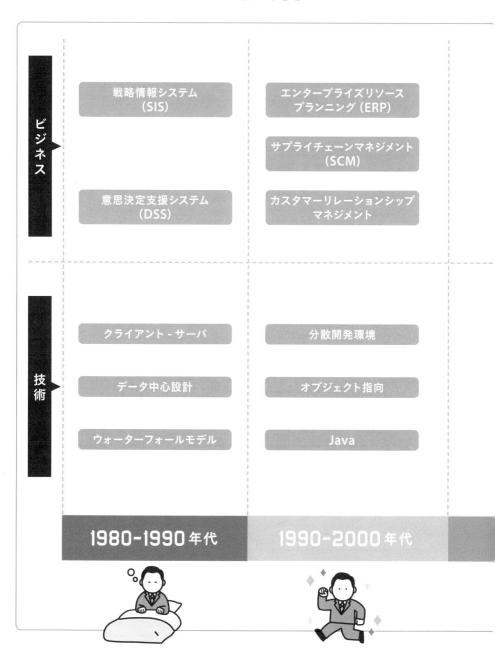

ビジネス

戦略情報システム (SIS)	エンタープライズリソースプランニング (ERP)
	サプライチェーンマネジメント (SCM)
意思決定支援システム (DSS)	カスタマーリレーションシップマネジメント

技術

クライアント - サーバ	分散開発環境
データ中心設計	オブジェクト指向
ウォーターフォールモデル	Java

| 1980-1990年代 | 1990-2000年代 |

2000-2010 年代	2010-2020 年代	2020 年代 −
アプリケーションサービス プロバイダ（ASP）	ビッグデータ（データ分析）	
エンタープライズアーキテクチャ インテグレーション（EAI）	IoT	DX
ビジネスプロセスリストラク チャリング（BPR）	デジタルマーケティング	
IT コンプライアンス	仮想通貨	PoC
ソフトウェアサービス（SaaS、PaaS、IaaS）	リーンスタートアップ	
Web2.0	デジタルマーケティング	SOC、CRIST
	XTech	
.NET	サーバレス	
RSS	NoSQL	DevOps
オープンソースソフトウェア（Linux）	スマートフォン	
Ajax	スマホアプリ	
SOA	ウェアラブル端末	量子 コンピュータ
XML	人工知能	
アジャイル開発	ハイブリッドクラウド、 マルチクラウド	
仮想化技術	ノーコード、ローコード	生成 AI
クラウドコンピューティング		

IT業界の再編

IBM

英語名：International Business Machines Corporation
本社所在地：米国 ニューヨーク
設立：1911年
売上高：7兆8千億円
従業員数：380,000人

ハード売却、サービス買収

有名な人
=
ルイス・ガースナー（改革者）

2002年：PwCからコンサルティング事業を買収、日立
　　　　製作所にHDD事業を売却
2004年：レノボにPC事業を売却
2012年：東芝テックにPOS事業を売却
2016年：SAPとERP事業で提携
2018年：Red Hatを買収

オラクル

英語名：Oracle Corporation
本社所在地：米国 カルフォルニア
設立：1977年
売上高：4兆円
従業員数：13,700人

ソフトベンダーを次々買収

有名な人
=
ラリー・エリソン（創業者）

2004年：ERP大手のピープルソフトを買収
2005年：CRM大手のシーベルを買収
2007年：BI大手のハイペリオンを買収
2008年：APサーバ大手のBEAシステムズを買収
2010年：サン・マイクロシステムズを買収

レノボ

英語名・中国名：Lenovo Corporation、联想集团
本社所在地：中国 北京
設立：1984年
売上高：5兆6千億円
従業員数：54,000人

PC事業を次々買収

有名な人
=
柳傳志（創業者）

2004年：IBMからPC事業を買収
2011年：NECのPCの事業を買収、ドイツPCメーカー
　　　　のメディオンを買収
2014年：IBMからサーバ事業を買収、グーグルから携帯
　　　　電話端末事業を買収
2017年：富士通からPC事業を買収

グーグル

英語名：Google LLC
本社所在地：米国 カルフォルニア
設立：1998 年
売上高：13 兆 1 千億円
従業員数：102,000 人

2006 年：動画配信の YouTube を買収
2007 年：ネット広告のダブルクリックを買収
2009 年：モバイル広告の AdMob を買収
2011 年：モトローラ・モビリティを買収
2014 年：AI・ロボット関連企業を買収

ベンチャー買収積極的

有名な人
＝
ラリー・ペイジ&セルゲイ・ブリン（創業者）

マイクロソフト

英語名：Microsoft Corporation
本社所在地：米国 ワシントン
設立：1984 年
売上高：10 兆 6 千億円
従業員数：135,000 人

2001 年：ゲーム事業に参入
2011 年：スカイプを買収
2013 年：ノキアから携帯端末事業を買収
2014 年：オンラインゲームの Mojang を買収
2016 年：SAP とクラウド事業で提携

買収にあまり積極的でない

有名な人
＝
ビル・ゲイツ（創業者）

アップル

英語名：Apple Inc.
本社所在地：米国 カルフォルニア
設立：1976 年
売上高：27 兆 3 千億円
従業員数：132,000 人

2008 ～ 2013 年：半導体関連ベンチャーを買収
2013 ～ 2015 年：地図関連ベンチャーを買収
2014 年：音響機器大手のビーツ・エレクトロニクスを買収
2016 年～：AI 関連ベンチャーを買収

大型買収には消極的

有名な人
＝
スティーブ・ジョブズ（創業者）

ITが実現する未来

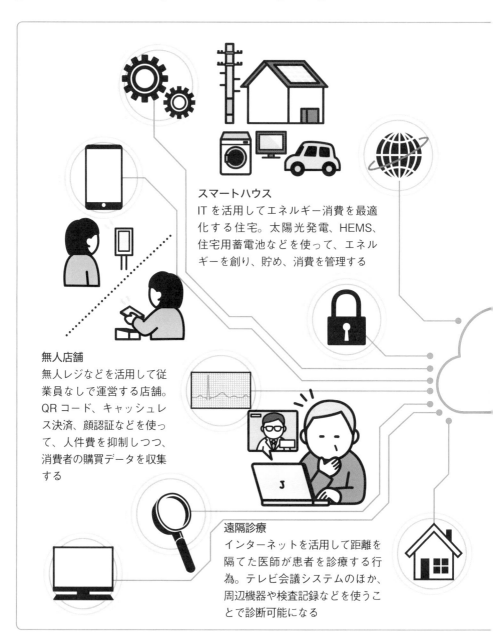

スマートハウス
ITを活用してエネルギー消費を最適化する住宅。太陽光発電、HEMS、住宅用蓄電池などを使って、エネルギーを創り、貯め、消費を管理する

無人店舗
無人レジなどを活用して従業員なしで運営する店舗。QRコード、キャッシュレス決済、顔認証などを使って、人件費を抑制しつつ、消費者の購買データを収集する

遠隔診療
インターネットを活用して距離を隔てた医師が患者を診療する行為。テレビ会議システムのほか、周辺機器や検査記録などを使うことで診断可能になる

健康データ
健診結果や、スマホ・ウェアラブル端末などから得られる健康に関するデータ。病歴や運動記録、食事や生活行動を一元管理することで、健康管理につなげる

無人運転
人間が運転操作しなくても自動走行する自動車。カメラやセンサー、GPS や地図データ、AI やデータ分析の活用で可能になり、鉱山や建築現場では実用化されている

スマートロック
電気通信可能な鍵とスマートフォンなどのアプリによって電子的に開閉管理できる施錠システム。開閉システムの変更、期間や回数の設定などが容易になる

デジタルトランスフォーメーションとは、どのような概念ですか?

ITを使って、企業や生活に変化をもたらします。

　デジタルトランスフォーメーション（DX）とは元々、スウェーデンウメオ大学、エリック・ストルターマン教授が提唱した「IT（情報技術）の浸透が、人々の生活をあらゆる面でより良い方向に変化させる」という比較的あいまいな概念です。それを、IDCやガートナーといったIT調査会社などが、企業向けに「デジタルプラットフォームを利用したビジネス変革」としてアレンジしたことから、近年、急速に注目されるようになってきました。

　DXの背景にあるのは、「多くの大企業では、既存システムがレガシー化し、クラウド、ビッグデータ / アナリティクス、ソーシャル技術といったITの進化に追い付いていない」という認識です。そのために、競争力強化、ビジネスモデルの改変、新たなビジネスモデルの構築が難しくなっているのです。

　日本もこうした事態に危機感を抱いており、経済産業省は**DX推進のためのガイドライン**を公開するとともに、DXレポートで**2025年の崖**という課題を提唱し、警鐘を鳴らしています。

2025年の崖

「2025年の崖」とは、複雑化・ブラックボックス化した既存システム（いわゆるレガシーシステム）が残存した場合に想定される国際競争への遅れや日本経済の停滞などを指す言葉だ。DXレポートでは、この状態のまま放置すれば、ユーザー企業は爆発的に増加するデータを活用しきれずデジタル競争の敗者となり、IT

ベンダーは技術的負債の運用保守にリソースを割かざるを得ず、最先端のデジタル技術を担う人材が確保できなくなると提言している。その打開に向けて、DXを推進するには、中立的な診断スキームの構築、ガイドライン策定、ユーザーとベンダーの新たな関係、DX人材の育成・確保などが必要となる。

デジタルトランスフォーメーションの考え方
現在、特に注目されているのは、ITによる企業経営の変革である

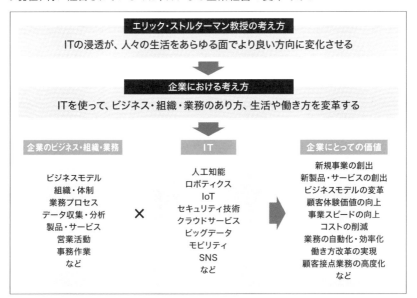

デジタルトランスフォーメーションの実践 (例:経済産業省の法人データ交換基盤)
国や官公庁も、デジタルトランスフォーメーションによる変革に乗り出している

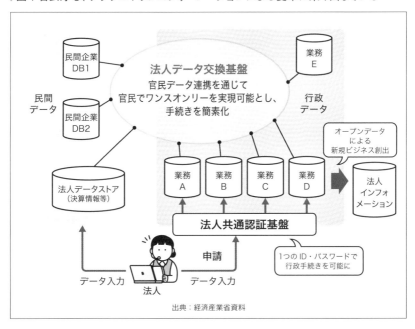

出典:経済産業省資料

アジャイル開発やDevOpsは、なぜ注目されているのですか？

情報システムをつねに進化させる必要があるからです。

　アジャイル開発とは開発チームと顧客が連携して**イテレーション**と呼ばれる短い開発期間で「設計→開発→検証」を繰り返しながら少しずつシステムを成長させていく開発手法です。アジャイル開発の主な手法は **XP、スクラム、リーン**の３つで、XPではベストプラクティスの実施によるリスクの回避、スクラムではフレームワークに基づく開発と自律性、トヨタ生産方式をベースにしたリーンでは「ムダをなくす」「品質を作り込む」「人を尊重する」の考え方が重視されます。一方、**DevOps**は開発チームと運用チームが連携しながらアジャイル開発の方法論でシステムを開発するという考え方です。ただし、開発手法というよりは概念であり、方法の厳密な定義はありません。

　近年、受託開発においてもアジャイル開発やDevOpsを提案するITベンダーが増えている背景には、システムの複雑化とビジネス環境の変化があります。このような環境では、利用可能なシステムを早期に小さく構築し、徐々に改良していくアプローチが有効です。ただし、いずれの導入にも、クライアントの協力が必須になります。

Key word

継続的インテグレーションと継続的デリバリー

　アジャイル開発やDevOpsでは通常、少人数のチームが短い期間ごとに優先度の高い機能を実装し、利用可能なシステムを早期に構築し、顧客の意見を聞きながら継続的に改良する。これを支えるのが、継続的インテグレーション（CI）と継続的デリバリー（CD）という開発手法だ。CIでは、バグを早期に発見して対処することで、ソフトウェアの品質を高める。開発担当が定期的にCIサーバにソースコードをアップし、プログラムの結合と実行を繰り返しながらテストを実施することで、リリースまでの期間を短縮する。CIの考え方をさらに拡張したCDでは、プログラムの結合・実行とテストを自動化している。

アジャイル開発の進め方
イテレーションを回しながら
進める

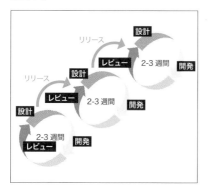

アジャイル宣言 (一部抜粋)
ある意味、ソフトウェア開発の思想で
ある

- ・プロセスやツールよりも個人と
  相互作用
- ・包括的なドキュメントよりも動
  くソフトウェア
- ・契約交渉よりも顧客との協調
- ・計画の遂行よりも変化への対応

アジャイル開発の代表的な手法
代表的な開発手法が3つある

手法	概要	提唱者
XP (Extreme Programming)	ソフトウェア開発技術のベストプラクティスのいくつかを極端に実施してリスクを回避する手法	Kent Beck など
スクラム (Scrum)	開発マネジメントのフレームワークを提供し、チームを自律的に動かすための場を作る手法	Ken Schwaber、Jeff Sutherland など
リーン (LeanSoftware Development)	トヨタ生産方式をベースにした原則に基づいて、具体的なプラクティスを生み出す手法	Mary Poppendiek など

DevOpsの考え方
開発と運用をセットで考える

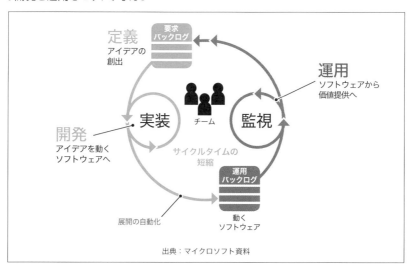

出典：マイクロソフト資料

ペアプロやモブプロでは、何をやるのですか?

複数でプログラミングすることで、生産性を向上させます。

現在、**ペアプログラミング**や**モブプログラミング**（モブ）など、アジャイル開発の様々な手法がシステム開発の現場に導入されています。

ペアプログラミングでは、**ドライバー**と**ナビゲーター**の2人でプログラムを開発し、モブプログラミングでは、ドライバー1人、ナビゲーター2人以上の3人以上でプログラムを開発します。ドライバーはコーディングを担当し、ナビゲーターはドライバーの書いたコードをチェックし、考え方の正しさやエラーの有無などをチェックするのです。通常は、ドライバーとナビゲーターを決めたら、プログラミング仕様を決め、仕様を満たすタスクを洗い出し、洗い出したタスクを見積もった上で、プログラミングを実施し、ドライバー役とナビゲーター役は、10～20分ごとに交代します。ペアプログラミングやモブプログラミングは、ケアレスミスによるバグの削減、システムやチームに対する理解向上につながると言われています。

ただし、進め方が悪いと開発効率が落ちるので、導入にあたっては十分な準備が必要になります。

Key word

リソース効率とフロー効率

ペアプログラミングやモブプログラミングが開発現場で受け入れられた背景には、「フロー効率」という考え方がある。リソース効率とは、「リソースの空きが少ないこと」。つまり開発チーム全員がプログラミングすれば、リソース効率は高くなる（コードの量は増える）。一方、フロー効率では「開発開始からリリースまでの時間が短いこと」に着目する。複数人で取り組むペアプログラミングやモブプログラミングでは、スキルや考え方や知見が共有されるため、スキルアップにつながるだけでなく、ソフトウェア品質も高くなる。そのため、フロー効率が高くなり、中長期的に見ると開発期間が短くなるのだ。

ペアプログラミングとモブプログラミング
基本的に開発の生産性を向上させるためのプログラミング手法

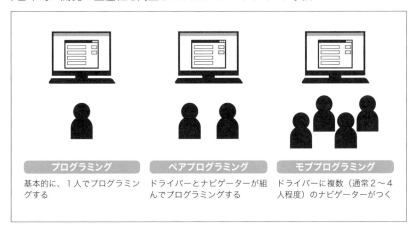

プログラミング	ペアプログラミング	モブプログラミング
基本的に、1人でプログラミングする	ドライバーとナビゲーターが組んでプログラミングする	ドライバーに複数（通常2〜4人程度）のナビゲーターがつく

ペアプログラミング・モブプログラミングの実践
タスクを洗い出し、見積もった上でプログラミングを進める

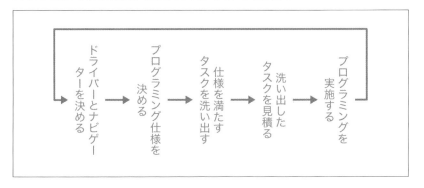

ドライバーとナビゲーターを決める → プログラミング仕様を決める → 仕様を満たすタスクを洗い出す → 洗い出したタスクを見積る → プログラミングを実施する

ペアプログラミング・モブプログラミングのメリット・注意点
通常のプログラミングと比べて、実践には準備が必要になる

メリット
- ・ケアレスミスの防止
- ・知識の共有
- ・スキル（生産性）の向上
- ・属人化の防止
- ・チームワークの向上
- ・集中力アップ

注意点
- ・組み合わせが悪いと生産性が落ちる
- ・対立が生じることもある
- ・スケジューリングが難しい
- ・苦手な人もいる

テストファーストやテスト駆動開発では、何をやるのですか?

テストフェーズを前倒しすることで、生産性を向上させます。

アジャイル開発（XP）の手法である**テストファースト**や**テスト駆動開発**もまた、最近、システム開発現場への導入が広がっています。

テストファーストでは通常、詳細設計の後、開発の前にテストを記述し、テストを実行して「失敗」を確認した上で、コードを実装し、テストを実行（成功）するのに対して、テスト駆動型開発では詳細設計の前にテストを記述し、テストを実行して「失敗」を確認した上で、テストに基づいてプログラム仕様を設計し、開発、テスト（成功）と進めます。

テストファーストやテスト駆動型開発ではまた、プログラムがきちんと動作することを確認してから、コードをきれいにする（リファクタリング）アプローチを採ります。そのため、当初の開発では動けばいいと考えて、速度重視で開発します。動くことを確認した上で、コードを見直し、書き直すのです。テストファーストもテスト駆動開発も、「設計に対する理解と検証が楽になる」「早期にバグが見つけられる」「後工程からの手戻りが減る」「プログラム本体を変更しやすい」などのメリットがあるとされています。

Key word

レッド、グリーン、リファクタリング

テスト駆動型開発では通常、「レッド→グリーン→リファクタリング」のサイクルを繰り返す。テストが失敗に終わった状態の「レッド」では、記述したテストが機能するのかを確かめる。確認できたら、今度は汚くても構わないので、テストに通るコードを記述する。テストに成功した状態が「グリーン」だ。グリーンを確認したら、コードの重複を取り除き、読みやすく書き換える。これが、「リファクタリング」である。通常の開発プロジェクトでは、動くことが確認されたコードの書き換えは避ける。しかしテスト駆動型開発では、テストを自動化することで、コード書き換えによる信頼性低下を防止するのだ。

テストファーストとテスト駆動開発
テストフェーズをどこに置くかで、開発の進め方が変わってくる

テスト駆動開発の実践
テストの設計を通じて、コードの精度を向上させるのが狙い

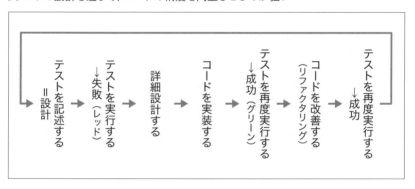

リファクタリングの考え方
コードの理解しやすに着目して、体系的にコードの改善を図る

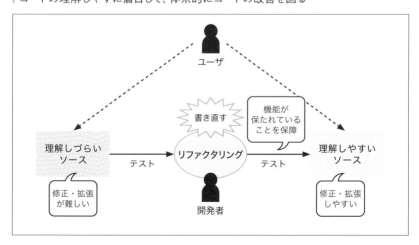

リーン・スタートアップはなぜ、ITでも注目されているのですか?

TPSの考え方が、ITサービスの開発でも使われています。

　リーン・スタートアップでは、アイディアに基づいて、まず「実用に足る最低限の製品・サービス＝**MVP（Minimum Viable Product）**」を開発し、想定顧客に提供してその反応を観察し、データを分析することで、成功するか否かを早期に見極めます。そして、成功しそうにない場合、製品・サービスを改良したり事業内容を変えたりして軌道修正します。リーン・スタートアップで事業・製品・サービスを開発すれば、コストをあまりかけず、リスクを最小限に抑えられるため、IT業界でも注目を集めています。

　そもそも**リーン**という思想は、トヨタ自動車の副社長だった大野耐一が体系化した**トヨタ生産方式（TPS）**に端を発します。TPSは米国MITのジェームズ・ウォマックらによって研究され、**リーン生産方式**へと進化します。それがさらに、製品開発、ソフトウェア開発に応用されることで**リーン製品開発**やアジャイル開発手法のリーンが誕生し、思想が似ていることから、エリック・リースが自身のビジネス開発方法論にリーン・スタートアップと名付けたのです。

Key word

カンバン方式とチケット駆動型開発

　カンバン方式とは、在庫をできるだけ持たないようにする「ジャスト・イン・タイム」を実現するため、部品納入の時間、数量を記述した作業指示書（カンバン）を使って、仕掛在庫を最小限にする仕組みである。トヨタ生産方式の生みの親である大野耐一が発明した。これと似たソフトウェア開発方法論に、チケット駆動型開発（TiDD）がある。TiDDでは、開発タスクをプログラムの欠陥（バグ）を管理するシステム（BTS）のチケットに割り当てて、チケットを処理することで開発を進める。TiDDはタスク共有が楽で、状況を把握しやすく、作業の履歴が残るため、アジャイル開発と親和性が高い。

リーン生産方式から、リーン開発、リーン・スタートアップへの系譜

トヨタ生産方式から、徐々に進化、枝分かれしている

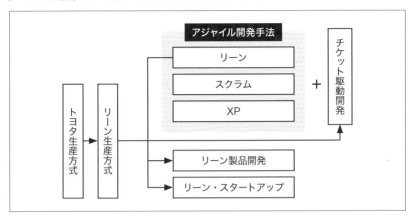

トヨタ生産方式、リーン生産方式、リーン製品開発

逆輸入する形で、リーンの思想が様々な分野に広がっている

名称	概要	提唱者
トヨタ生産方式	ムダを徹底的に排除するという思想の下、カンバン方式、5S、見える化などにより、「ジャスト・イン・タイム」と「自働化」を実現	大野耐一
リーン生産方式	トヨタ生産方式とトップダウンによるシステムとの融合によって、部分最適的なアプローチだけでなく、全体最適的なアプローチによってムダ取りを追求	ジェームズ・ウォマック、ダニエル・ジョーズ
リーン製品開発	製品開発終盤で発生する仕様変更による手戻りを防ぐため、開発当初は複数の設計プランによる開発を進めながら、最も適切な設計案を絞り込む	アレン・ウォード、デュワード・ソベック

リーン・スタートアップの考え方

資源が乏しいスタートアップにとって重要

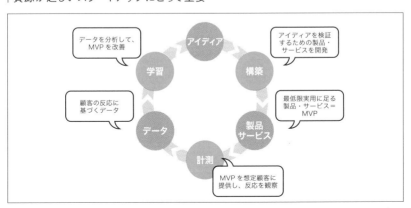

運用保守のアウトソースは なぜ、増えているのですか?

コア業務以外は外出ししたほうが効率的だからです。

　近年、システム運用保守サービスに注力する受託開発系のITベンダーが増えています。運用保守を重視するようになってきた背景には、「新規の開発案件が減り競争が激化してきた」「運用管理から開発案件の受託が期待できる」「機能追加がつねに求められるため安定収益源となる」といった理由があります。

　また大手受託開発系は、運用保守に留まらず、給与計算やデータの入出力、コールセンター運営など、いわゆる**ビジネス・プロセス・アウトソーシング（BPO）**事業も展開しています。この分野には、アクセンチュアなど、コンサルティングファームが先んじて参入しています。IT コンサルタントは、アウトソースする業務を調査・分析した上で、業務の標準化・効率化を図り、海外のスタッフやインフラを積極的に活用することでコストを落としつつも品質を担保し、ユーザー企業のニーズに応えています。

　このように現在、ユーザー企業は、中核業務以外をアウトソースすることで、競争力向上、業務効率化、コスト削減を図っているのです。

Key word

アウトバウンドとインバウンド

コールセンターにおける業務には、アウトバウンドとインバウンド、そして分析・レポーティングがある。このうち、アウトバウンドは顧客や見込み顧客に電話をかけて、新しい商品・サービスを売り込んだり、連絡事項やアンケート依頼を伝えたりする業務。一方、インバウンドは顧客や見込み顧客からの問い合わせを受ける業務である。問い合わせは、受注や受付、商品・サービスの問い合わせなど様々だ。なお近年ITベンダーは、コールセンターに対して、BPOだけでなく、コールセンターでのやり取りを分析する音声認識ツール、チャットボットのソリューションを積極的に売り込んでおり、導入も増えている。

運用保守サービスの業務
運用保守業務には定常業務と随時対応がある

サービス分類	業務種別	サービス概要
運用サービス	ヘルプデスク／定常業務	エンドユーザーからの問い合わせに応じて、簡単なシステムの使い方などを回答する業務
	問い合わせ対応／定常業務	エンドユーザーからの問い合わせに応じて、難しいシステムの使い方などを回答し、システムトラブルに対応する業務
	システム監視／定常業務	システムを構成するサーバ、ネットワーク、アプリケーションの稼働状況を主に遠隔監視する業務
	定期オペレーション／定常業務	決められたプロセスで、アプリケーションやサーバの起動・停止といった定期ジョブを実施する業務
保守サービス	障害対応／随時対応	システム障害発生時の一次切り分け、メーカーへの問い合わせ・修理依頼、バックアップからの復旧などを実施する業務
	定期点検／定常業務	サーバの稼働状況やログの確認、システムの復旧・再起動などを定期的に実施する業務
	復旧支援／随時対応	システム性が発生時におけるバックアップからの復旧を支援する業務
	レポーティング／定常業務	システム稼働状況やログなどを月次や習字で定期的にレポーティングする業務
	変更管理／随時対応	エンドユーザーからのシステムの機能変更供給に対応し、不具合発生時のシステム構成管理・本番環境への移行を実施する業務

運用保守サービスの市場
クラウドサービスの利用でさらに拡大する模様

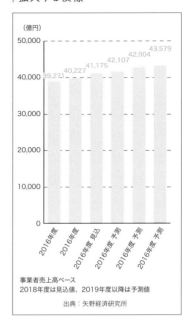

事業者売上高ベース
2018年度は見込値、2019年度以降は予測値

出典：矢野経済研究所

ビジネス・プロセス・アウトソーシングの例
クラウドサービスやデータセンサーの利用により、アウトソーシングが楽に

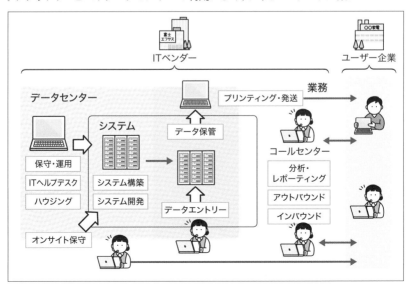

オフショア開発には、どのような
メリットがありますか？

メリットはコスト低減、デメリットはリスクの高さです。

　開発コストの抑制と開発スタッフの確保のため、プログラムの開発・テストなどのプロセスを中国、インド、ベトナムなどの海外事業者に委託する**オフショア開発**は、日本でも当たり前になりました。

　ただし、日本企業によるオフショア開発は当初、多くが失敗しました。失敗の原因は、発注元のITベンダーが不十分な設計や仕様で開発を委託したのに対して、発注先の**オフショアベンダー**が仕様書を読み解き、解釈することなく、そのままの設計や仕様で開発を進めてしまったことにあります。

　こうした点を改善するため、現在、発注元、発注先ともに人材育成と体制整備を進めています。人材育成の鍵となるのは、システムがわかり、言語がわかる**ブリッジSE**です。ブリッジSEが日本企業とオフショア先との橋渡しをすることで、十分なコミュニケーションが可能になるのです。

　なお、オフショアベンダーには優秀な人材が定着しないことから、**ニアショア開発**も増えています。

Key word

ニアショア開発のメリットとデメリット

　ニアショア開発とは、「オフショア＝海外」ではなく、国内の比較的遠隔地にプログラムの開発・テストなどを委託する開発スタイルである。ニアショアの拠点としては、沖縄や北海道などが使われることが多い。ニアショアのメリットは、言葉が同じことによるコミュニケーションの円滑化、複数拠点で開発することによる災害時などのリスク回避である。また、地域によっては比較的ITエンジニアの確保が楽になるケースさえある。一方デメリットは、安いと言っても、海外に比べると人件費が高いことである（ただし、アジアでは人件費が上がっているので、早晩、日本の方が安くなるかもしれない）。

オフォショア開発の体制
ブリッジSEの設置など、協力体制の構築が重要になる

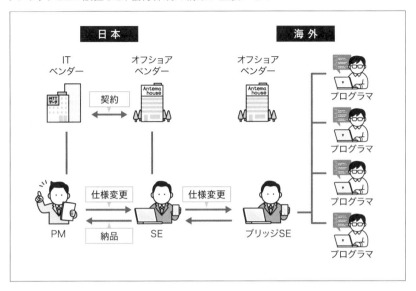

ベトナムIT産業の年間売上推移
現在、ベトナムのベンダーを利用する
企業が増加中

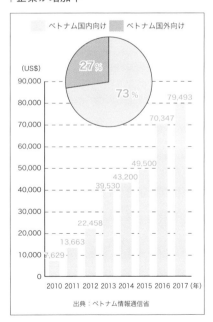

ニアショア開発のプロセス
最も工数の多い工程をニアショアで
開発

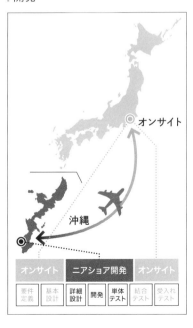

コンサルティングファームとの競合はなぜ、増えているのですか？

様々なコンサルがITの領域に入ってきたからです。

現在、IT ベンダーと業務・IT 系コンサルティングファームが、業務・IT 系コンサルティングやシステム案件で競合するようになっています。

そもそも業務・IT 系コンサルティングを手がけるファームの多くは、米国の大手会計事務所のコンサルティング部門から誕生しました。彼らは、コンピュータの登場とともに会計業務のシステム化をサービスとして提供するようになり、コンサルティング部門が独立してコンサルティングファームになったのです。そして、業務・IT 系コンサルは近年、IT ベンダーを設立・買収することでシステム案件を手がけるようになっています。

一方、ERP の登場によって様々な業務を統合的に管理するシステムが求められるようになると、会計以外の業務ノウハウや大規模システムの構築運用ノウハウを持った IT ベンダーは ERP 案件を手がけるようになります。そして、コンサルティングファームを買収したり、設立したりすることでコンサルティング業務も手がけるようになったのです。この結果、現在、両者は様々な案件で競合しています。

Key word

会計Big4と外資系コンサル

グローバルで事業を展開する大手会計事務所のうち、アーンスト＆ヤング（EY）、デロイト トウシュ トーマツ、KPMG、プライスウォーターハウスクーパース（PwC）の４社は一般に、四大会計事務所（Big4）と呼ばれる。日本において事業展開する業務・IT 系コンサルティングファームの多くは、この大手会計事務所由来の企業だ。EY アドバイザリー・アンド・コンサルティング、デロイトトーマツコンサルティング、KPMG コンサルティング、PwC コンサルティングは Big4 のグループ企業であり、アクセンチュアは米国大手会計事務所のアーサー・アンダーセンのコンサルティング部門が独立、設立された。

IT関連のサービスを提供するコンサルティングファーム

ERPを中心に、IT関連のビジネスは売上規模が非常に大きいのが魅力

総合

アクセンチュア	PwC コンサルティング	デロイトトーマツ コンサルティング	KPMG コンサルティング
EYアドバイザリー ・アンド・ コンサルティング	ベイカレント コンサルティング	クニエ	

IT

アビーム コンサルティング	キャプスジェミニ	シグマクシス	日立 コンサルティング
富士通 コンサルティング	スカイライト コンサルティング	フューチャー アーキテクト	ウルシステムズ

総研・リサーチ

野村総合研究所	大和総研	日本総合研究所	三菱総合研究所
三菱UFJリサーチ ＆ コンサルティング	みずほ 総合研究所	富士通総研	NTTデータ 経営研究所

IT事業者の動向

対抗するためにIT事業者もコンサル
を買収

ITコンサルティング市場の伸び

IT関連分野では今後も伸びが
見込まれる

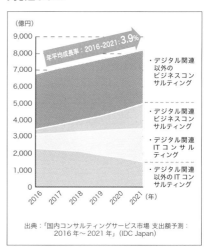

出典：「国内コンサルティングサービス市場 支出額予測：
2016年〜2021年」(IDC Japan)

なぜ、オープンソース開発が増えたのですか？

コスト削減やベンダーロックイン回避などのためです。

　ここ20年ほどの間に、OS、データベース、ミドルウェア、開発環境などの**オープンソース・ソフトウェア（OSS）**が開発現場で使われるようになりました。かつて先端的なITエンジニアしか使ってこなかったOSSが一般的に使われるようになった理由はいくつかあります。

　まず、ハードウェアの値段が格段に下がり、相対的にシステム開発に占めるソフトウェア費の割合が上がったため、その費用を抑えたいというニーズが生まれました。また、Linux、MySQL、ApacheなどのOSSは、有償のソフトと比較しても性能的に引けを取りません。さらに、コミュニティベースでの開発なので進化のスピードが速く、世界中の人々からバグやトラブルに関する情報が得られます。そして、ソースコードが公開されているのでユーザーの要望に柔軟に対応できます。さらにソフトウェアベンダーの技術にベンダーロックイン（「I-11」参照）されないなどのメリットもあります。

　現在、多くのITベンダーが社員にOSSプロジェクトへの参加を推奨しています。

Key word

LAMPとXAMPP

LAMPとは、OSのLinux、WebサーバのApache HTTP Server、データベースのMySQL、スクリプト言語のPHP（またはPerl、Python）を総称した頭文字から成る造語。LAMPを構成するOSSは、シェアが高く、開発コミュニティがしっかりしていて、情報が多いため、Webアプリケーションは通常、LAMPの組み合わせで開発されることが多い。またLAMPには、OSインストール時に多くの設定・関連付けが自動的に実施でき、開発に必要なOSSをパッケージとしてまとめたソフトウェア（XAMPP）も存在する。XAMPPを使えば、必要なOSSを一括インストールできるため、開発をすぐに開始できる。

オープンソースの定義
これもまた、ある意味、ソフトウェア開発の思想である

1. 再頒布の自由	6. 利用分野に対する差別の禁止
2. ソースコードでの頒布の許可	7. ライセンスの分配
3. 派生ソフトウェアの頒布の許可	8. 特定製品でのみ有効なライセンスの禁止
4. ソースコードの完全性	9. 他のソフトウェアを制限するライセンスの禁止
5. 個人・グループに対する差別の禁止	10. ライセンスの技術的中立性

オープンソース開発のメリット・デメリット
利用するには、一定以上の知識とスキルが求められる

メリット	デメリット
・ライセンス料が必要ない（低コスト） ・ソースコードが公開されていて、カスタマイズできる ・コミュニティが活発であれば、情報を入手しやすい ・商用 IT ベンダーに縛られない	・不具合が見つかっても、すぐに対応してくれるとは限らない（サポート体制が万全ではない） ・ソースコードを理解していないと、修正が難しい ・日本語ドキュメントが不足していることもある

主要なオープンソースソフトウェア
有力なソフトウェアには、開発コミュニティがセットになっている

ソフト名	種類	ライセンス	提供元
Firefox	ウェブブラウザ	MPL	Mozilla Foundation
Thunderbird	メール・クライアント	MPL	Mozilla Foundation
Apache OpenOffice	統合オフィスソフト	Apache License	Apache Software Foundation
Blender	3 次元 CAD ソフト	GPL	Ton Roosendaal
Eclipse	統合開発環境	Eclipse Public License	Eclipse Foundation
Ruby on Rails	Web アプリケーション開発環境	MIT License	Rails Core Team
Samba	ファイル/プリンタ共有サーバソフト	GPL	The Samba Team
Apache HTTP Server	Web サーバソフト	Apache License	Apache Software Foundation
Postfix	メール配信サーバソフト	IBM Public License	Wietse Zweitze Venema
vsftpd	FTP サーバソフト	GPL	Chris Evans
MySQL Database Server	RDBMS ソフト	GPLと有償のデュアル・ライセンス	オラクル
PostgreSQL	RDBMS ソフト	The PostgreSQL License	PostgreSQL Global Development グループ
XOOPS	CMS ソフト	GPL	XOOPS プロジェクト
WordPress	CMS ソフト	GPL	WordPress.org

オープンソースのライセンスには どのような種類がありますか?

GPL系、MPL系、BSD系など、権利形態で異なります。

オープンソースソフトウェア（OSS）は、修正・再配布についての利用許諾によって、ライセンス形態がいくつかに分けられます。

ソフトウェアの"自由"に対して最も厳密な**GPL系ライセンス**では、コードの公開と自由な利用はもちろん、GPL系のソフトウェアやコードを利用して作成したソフトウェアについても、再配布時にはコードをすべて公開し、自由かつ無料で利用できるようにしなくてはなりません。Linux などの UNIX 系 OS で採用されており、ライセンス全体の7割を占めています。最も使用許諾の緩いライセンス形態である**BSD系ライセンス**では、BSD 系のソフトウェアやコードを組み込んだソフトウェアを再配布する際、著作権さえ表示すれば、コードの非公開はもちろん、商用ソフトウェアとして販売することも可能です。そして、GPLと BSD の中間的存在の**MPL系ライセンス**では、MPL 系のソフトウェアやコードを利用してソフトウェアを作成した場合、ソフトウェアを再配布する際、利用した部分（ファイル単位）についてのみコードを公開し、それ以外は MPL 以外のライセンスにすることが可能です。

Key word

リーナス・トーバルズとLinux

フィンランドのプログラマ、リーナス・トーバルズは、趣味の時間と自宅設備で、OSS の UNIX OS である「Linux」（正確には、「Linux カーネル＝ OS の中核部分」）を開発し、1991 年に一般公開した。リーナスは、オープンソース活動（オープンソース（OS）の思想と OSS を普及する活動）の中心人物となり、90 年代、独占的ソフトウェアを開発するマイクロソフトなどの IT ベンダーと激しく対立した。リーナスは現在も、Linux カーネルの最終調整役を務めるなど、オープンソース活動の旗振り役だ。Linux は現在、PC、組込みシステムなど幅広いハードウェアの OS として利用されている。

主要なオープンソースのライセンス
利用するにあたっての制約によって、系統が分かれている

分類	特徴	ライセンス
GPL系ライセンス	GPLライセンスのソフトウェアを利用してソフトウェアを作成した場合には、そのソフトウェアを再配布する際、ソースコードを公開し自由な利用を認めなくてはならない。オープンソースのライセンスで最も制限が厳しい	GNU Gneral Public License など
BSD系ライセンス	BSDライセンスのソフトウェアを利用してソフトウェアを作成した場合には、そのソフトウェアを再配布する際、「無保証であること」と「著作権者名の表記」のみが求められ、どのようなライセンスにすることも可能でソースコードを非公開にしてもよい。オープンソースのライセンスで最も制限が緩い	MIT License、X11 License、Apache License など
MPL系ライセンス	MPLライセンスのソフトウェアを利用してソフトウェアを作成した場合には、ソフトウェアを再配布する際、利用した部分（ファイル単位）についてのみ公開し、それ以外の部分はMPL以外のライセンスにすることが可能。GPLとBSDの中間的存在	CPL、NPL、SISSL など

ライセンス分類別のUNIX OS
UNIX OSは極めて汎用性の高いOSであり、様々な種類が存在する

181

IT人材が不足する背景には、どのような状況がありますか?

労働人口減少と、人材の需給ギャップがあります。

　経済産業省の「IT人材需給に関する調査」によれば、**IT人材**の需給ギャップは広がる一方であり、今後も数十万人規模での不足が予想されています(IT人材が2019年をピークに減少し、中位シナリオで2030年に約45万人の不足)。

　ただし、大きく不足するのは、ビッグデータやAI、IoTやロボットなど、新しい技術を活用して新たな価値を生み出すIT人材です。また情報セキュリティやクラウドサービス関連の人材需要も増えると予想されています。一方で、情報システムの受託開発、運用保守などの従来型ITサービスの人材は、従来型IT市場が縮小していることから、余ると考えられています。同調査によれば、従来型人材を年4%程度、先端型人材にスキル転換すれば、人手不足は解消されますが、それは非常に難しいでしょう。実際、IBMがハードウェアの箱売りからソリューションサービスへとビジネスモデルを転換したときも、3万人以上の人員をリストラしています。日本のIT業界においても、同様のことが起こる可能性はありそうです。

Key word

IT人材とIT人材白書

IT人材とは一般に、「ITを利活用できる人材」と「ITを開発できる人材」の2つを指す。つまり、ITベンダーのITエンジニアだけでなく、ユーザー企業の情報システム担当も含まれるわけだ。IT人材の動向については、情報処理推進機構(IPA)が年に1回アンケートを実施し、「IT人材白書」という書籍にまとめてい

る。同白書によれば、ITベンダーからユーザー企業へのIT人材の移動が増えており、人材の応募が増えているのは助け合う土壌やリスクをとってチャレンジするITベンダーと社内の風通しがよく多様性を重んじてリスクを取ってチャレンジするユーザー企業である。要は、企業文化が重要なのだ。

IT人材不足に関する見込み

様々な予測が立てられているが、いずれにせよ数十万人規模での不足が見込まれる

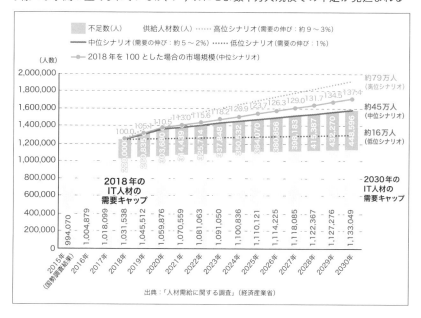

凡例:
- 不足数(人)
- 供給人材数(人)
- ‥‥‥ 高位シナリオ(需要の伸び:約9〜3%)
- —— 中位シナリオ(需要の伸び:約5〜2%)
- ‥‥‥ 低位シナリオ(需要の伸び:1%)
- —●— 2018年を100とした場合の市場規模(中位シナリオ)

(人数)

市場規模指数(中位シナリオ): 100.0 105.1 110.5 113.0 115.6 118.2 120.9 123.7 126.3 129.0 131.7 134.5 137.4

供給人材数: 994,070(2015年 国勢調査結果) 1,004,879 1,018,099 1,031,538 1,045,512 1,059,876 1,070,559 1,081,063 1,091,050 1,100,836 1,110,121 1,114,225 1,118,085 1,122,367 1,127,276 1,133,049

約79万人(高位シナリオ)
約45万人(中位シナリオ)
約16万人(低位シナリオ)

2018年の IT人材の 需要キャップ
2030年の IT人材の 需要キャップ

年: 2015年(国勢調査結果) 2016年 2017年 2018年 2019年 2020年 2021年 2022年 2023年 2024年 2025年 2026年 2027年 2028年 2029年 2030年

出典:「人材需給に関する調査」(経済産業省)

需要が高まるIT人材と減少するIT人材

特に、先端IT人材、情報セキュリティ人材の需要が高まる

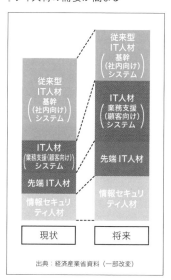

現状 / 将来

現状:
- 従来型IT人材 基幹(社内向け)システム
- IT人材 業務支援(顧客向け)システム
- 先端IT人材
- 情報セキュリティ人材

将来:
- 従来型IT人材 基幹(社内向け)システム
- IT人材 業務支援(顧客向け)システム
- 先端IT人材
- 情報セキュリティ人材

出典:経済産業省資料(一部改変)

先端IT人材不足の見込み

先端IT人材としては、AI、IoT、ロボット関連の人材ニーズが高い

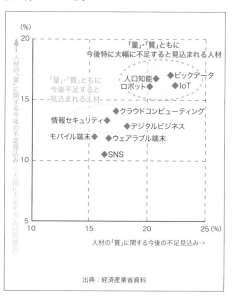

(%)
人材の「量」に関する今後の不足見込み(「大幅に不足する」の回答割合)↑

「量」・「質」ともに今後特に大幅に不足すると見込まれる人材
- 人口知能 ◆
- ◆ビックデータ
- ロボット◆
- ◆IoT

「量」・「質」ともに今後不足すると見込まれる人材

- ◆クラウドコンピューティング
- 情報セキュリティ◆
- ◆デジタルビジネス
- モバイル端末◆
- ◆ウェアラブル端末
- ◆SNS

人材の「質」に関する今後の不足見込み→

出典:経済産業省資料

なぜ、X-Techのサービスが増えているのですか？

ITリソースを利用するためのハードルが下がったからです。

　X-Tech（**クロステック、エクステック**）とは、既存の産業とIT技術を組み合わせることで、新たな製品やサービス、ビジネスモデルと価値を生み出す取り組みです。現在様々な業界において、IoTやセンサー、AIやビッグデータ、ロボティクスやブロックチェーンといった先端技術を活用し、フリーミアムやシェアリングエコノミー、クラウドソーシングといった新しいモデルのビジネスが誕生しています。特に、金融や広告、自動車や小売といった産業では既存事業者のビジネスモデルを破壊し、農業や建設、医療や教育といったIT化が遅れた産業では大きなイノベーションを起こしつつあります。

　近年、X-Techのサービスが次々と生み出されるようになった背景には、「ITリソースの価格が下がり利用のハードルが下がった」「スマートフォンなどの普及で顧客接点を持ちやすくなった」「仮想化技術やクラウドコンピューティングの進化でデータ処理能力が向上した」ことがあります。ただし、本質的な顧客にとっての価値は、業務効率化や資産活用、価格引下げなどであることに変わりはありません。

Key word

フリーミアム、シェアリングエコノミー、クラウドソーシング

フリーミアムとは、基本的なサービスや製品は無料で提供し、さらに高度な機能や特別な機能には料金を課金するビジネスモデル。DropBoxやSlackなど、ITサービスでは当たり前のように使われている。シェアリングエコノミーとは、物・サービス・場所などを、多くの人と共有・交換して利用することに料金を課金するビジネスモデル。シェアリングエコノミーは、タイムズカープラスやAirBnBなど、様々な産業に広がっている。そして、クラウドソーシングとは、インターネットを介して不特定多数の人々に業務を委託して、その対価として料金を課金するビジネスモデル。クラウドワークスが有名だ。

X-techの考え方

ITの技術とビジネスモデルを組み合わせることで、イノベーションが起こる

既存の産業　　　　　　ITの技術　　　　　　　ビジネスモデル

既存の産業		ITの技術	ビジネスモデル
不動産	フードサービス	インターネット	フリーミアム
広告	環境	スマートフォン	オープンソース
金融	アパレル	IoT(Internet of Things)	シェアリング
人材	小売	センサー	エコノミー
医療	法律	ソーシャル・ネットワーク	クラウドソーシング
スポーツ	自動車	クラウドコンピューティング	自動マッチング
農業	教育	ビッグデータ・データ分析	
建設	食品	人工知能(AI)	価値
など		ロボティクス	業務効率化
		ブロックチェーン	資産の活用
		サイバーセキュリティ	価格引下げ

×

X-Techの例

既存のさまざまな市場において、IT技術の活用により新しいサービスが生まれている

Retailtech
不動産
- マッチング
- シェア
- 物件情報
- 住宅ローン
- 価格可視化 / 査定
- 業務支援
- 建物管理

Agritech
農業
- モニタリングシステム
- センサーシステム
- ロボット / ドローン
- 植物工場
- 農業ノウハウ共有

Cleantech
環境
- リサイクル
- 消費エネルギー分析
- 冷却データセンサー

Adtech
広告
- アドサーバー
- アドネットワーク
- アドエクスチェンジ
- データ取得支援
- チャンネル管理
- 顧客データ管理
- コンテンツ管理
- データ分析

Foodtech
フードサービス
- デリバリー
- レシピ
- スマートレジ
- 予約システム
- 食材廃棄量管理
- 自動調理

Fashtech
アパレル
- ECプラットフォーム
- フリマアプリ
- ファッションレンタル
- クローゼット

Fintech
金融
- 決済
- 送金
- 仮想通貨
- クラウドファンディング
- ソーシャルレンディング
- レンディング
- PFM(個人財務管理)
- 企業経理支援
- 投資
- 運用
- 金融情報
- 保険(Insuretech)

Retailtech
小売
- 無人店舗
- 物流ロボット
- オンデマンドフルフィルメント
- 店頭販売サポート
- 決済
- O2O
- オムニチャネル

HRtech
人材
- インターン
- リファラル採用
- メディア
- 転職支援
- 採用管理
- 適正診断
- 勤怠
- 人材管理
- 情報共有

Legaltech
法律
- 手続きサポート
- クラウド契約
- 機密情報復元 / 解析
- 法律業務代行
- 法律相談
- 賠償金請求
- 法律データベース

Medtech
医療
- ロボット
- ゲノム
- 検索サイト
- 医療メディア
- 電子カルテ
- カウンセリング
- 服薬管理
- 法人向け
- 栄養管理
- 健康状態管理(Healthtech)

Autotech
自動車
- 無人運転
- 電気自動車
- 地図情報
- ライドシェア
- 空飛ぶ車

Sportstech
スポーツ
- コンテンツ
- スマートスタジアム
- データ分析
- トレーニング

Edtech
教育
- 基礎学力向上コンテンツ
- 語学関連コンテンツ
- その他コンテンツ
- 教員用ツール
- ハイテク教材
- テクノロジー学習

Cotech
建設
- 無人建機
- 建設ロボット
- マッチング
- 中古建機売買
- 教材関連
- 建設AI
- インフラ診断

なぜ、ビッグデータやデータ分析に注目が集まっているのですか?

膨大なデータの入手、加工、分析が容易になったからです。

インターネット上のサービス利用の拡大、情報システムの普及などにより、現在、様々な企業・団体には膨大で多様なデータが蓄積されるようになっています。こうした**ビッグデータ**を活用する試みに、現在、注目が集まっています。

ビッグデータ活用の背景にあるのは、膨大なデータを処理する**分散処理技術**や分析手法などが進化し、データ利用が可能になる環境が整備されてきたことです。データ活用の対象となっているのは、企業間取引データ、SNS上のつぶやき、各種センサーを通じた人や自動車の 動きなど様々です。こうしたデータは、金融業における不正やリスクの分析、小売業におけるプロモーションや顧客分析、製造業における品質や需要の分析、公共分野におけるエネルギー消費や地震データの分析など、多様な用途での活用が期待されています。

データ分析にあたっては、データの蓄積・加工・集計・可視化することで、課題を発見し、その課題解決が価値につながるようなアプローチが求められます。

Key word

MAとデータドリブンマーケティング

MA(マーケティングオートメーション)とは、顧客一人ひとりの興味関心や行動に応じて、適切なコミュニケーションやアクション(マーケティング活動)を自動的に取るための仕組みやプラットホームのこと。インターネットの普及とIT技術の進化によって実現可能になった。MAでは通常、Webパーソナライゼーション(顧客に応じてWeb表示を変更)、コミュニケーションの自動化、見込み顧客のスコアリング、A/Bテストの実施などをMAツールで実施する。一方、データドリブンマーケティングは販売実績や顧客情報などのデータを分析して意思決定や企画立案につなげる手法であり、MAの前段階を担う。

ビッグデータの例
さまざまなデータがインターネットを通じて収集される

マルチメディアデータ
ウェブ上の配信サイトにおいて提供等される音声、動画

ソーシャルメディアデータ
ソーシャルメディアにおいて参加者が書き込むプロフィール、コメント

カスタマーデータ
CRMシステムにおいて管理される販促データ、会員カードデータ

オフィスデータ
オフィスのパソコンにおいて作成されるオフィス文書、Eメール

ビッグデータ
ICT（情報通信技術）の進展により生成・収集・蓄積が可能・容易になる多種多量のデータ（ビッグデータ）を活用することにより、異変の察知や近未来の予測を通じ、利用者個々のニーズに即したサービスの提供、業務運営の効率化や新産業の創出が可能

ログデータ
ウェブサーバにおいて自動的に生成されるアクセスログ、エラーログ

ウェブサイトデータ
ECサイトやブログにおいて蓄積される購入履歴、ブログエントリー

センサーデータ
GPS、ICカードやRFIDにおいて検知される位置、乗車履歴、温度、加速度

オペレーションデータ
販売管理の業務システムにおいて生成されるPOSデータ、取引明細データ

ビッグデータの分析によって生まれる価値（例）
データの分析結果は、課題発見、問題解決、価値創造に役立てられる

ビッグデータ

データの蓄積
業務データ、SNSデータ、アクセスログデータなどを蓄積

↓

データの加工
重複データや不要データを削除し、データを正規化

↓

データの分析
データの分析軸を設定し、分析モデルを構築。集計したデータを可視化して、分析する

課題の発見

傾向・特徴を掴み、課題を特定
データ分析から傾向や特徴を把握して、ボトルネックとなっている課題を特定する

課題の解決

課題改善に向けて、解決策を立案
業務の自動化や高度化などによる課題解決につながるプランを立案する

価値の創造

解決策を実行し、PDCAを回す
解決策を実行して、その結果を検証。さらなる改善につなげる

デジタルマーケティングはなぜ、注目されているのですか？

低価格での出稿と広告効果の検証が可能になったからです。

　媒体数が多く、クリック課金やインプレッション（広告表示）課金など課金形態も多様なインターネット広告では、媒体選定や広告効果の検証が難しく、運用に手間がかかっていました。

　そこで登場したのが**アドネットワーク**と呼ばれる広告配信ネットワークと、**アドエクスチェンジ**と呼ばれる広告枠の取引市場です。アドネットワークは、複数の主要ネット媒体を集めて構築した広告配信ネットワークに向けて、複数媒体向けの広告を一括管理する**アドサーバー**を通じて一括で広告配信します。一方、アドエクスチェンジは複数のアドネットワークへの同時出稿を可能にする仕組みです。アドエクスチェンジでは、媒体費が広告枠単位で設定され、インプレッションが発生するたびに競争入札を開始して、比較的高い金額を設定した広告主の広告が表示されます（**リアルタイム入札方式**）。

　このアドネットワークとアドエクスチェンジという仕組みによって、ネット媒体は媒体の在庫管理が容易になり、広告主はニーズに応じたトラフィック量の確保と**広告効果検証**が可能になったのです。

Key word

アドサーバーとセカンドプライスビッディング

多数媒体の売上最大化をミッションとする（アドネットワーク）アドサーバーは、広告のインプレッション数やクリック数などのデータを収集・蓄積することで、広告主に対する複数媒体向けネット広告の入稿や配信、広告効果測定や媒体データ管理、媒体社に対する媒体枠の管理や販売などのサービスを提供している。一方、セカンドプライスビッディングはリアルタイム入札方式における入札方式。具体的には、媒体費が過剰に高騰しないようにするため、落札額は最も高い入札額ではなく、「2番目に高い入札額＋1円」となる。なお、媒体側は最低入札額（フロアプライス）を設定でき、入札額に達しなければ自ら販売できる。

アドネットワークとアドエクスチェンジ
媒体の選定、広告効果の検証を自動化するための仕組み

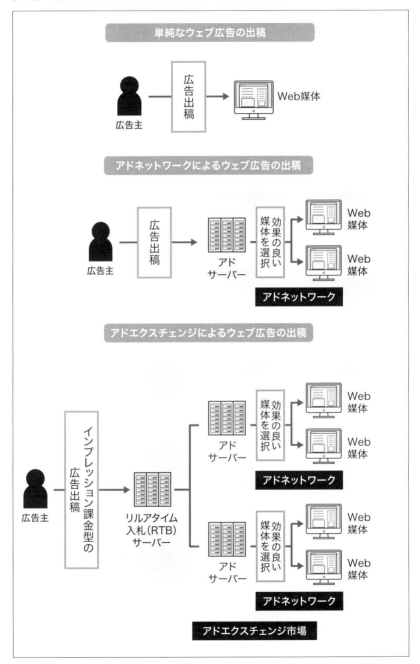

デジタルマーケティングで、ITはどのように使われているのですか？

IT技術を利用して、最適化・自動化が図られています。

　アドネットワークとアドエクスチェンジの登場で、ネット広告の取引単位は小さくなり、利便性が上がったことから取引回数は急増しました。この莫大な数の取引を自動的にデータ処理するために生まれたサービスが**DSP**と**SSP**です。

　DSPとは、複数のアドネットワークやアドエクスチェンジを一元管理して自動的に広告配信するためのツールです。DSPを使えば、広告主は管理画面上で、広告枠の購入や広告配信、掲載ページや広告ターゲットの管理、クリエイティブや入札単価の調整などを行うことが可能です。一方、SSPとは、複数のアドネットワークやアドエクスチェンジを一元管理して自動的に広告枠を販売するためのツールです。SSPを使えば自社媒体の広告枠の販売オークションを開き、最も単価が高いDSPからの入札を判別し、広告の出稿権利を与えることが可能になります。

　このように、広告主向けのツールであるDSP、媒体社向けのツールであるSSPがITサービスとして提供されたことで、大量のネット広告をさばけるようになったのです。

Key word

ピューアビリティとアドベリフィケーション

　ビューアビリティとは、広告掲載インプレッションのうち、実際にユーザーが閲覧できる状態にあったインプレッション（ビューアブルインプレッション）の割合だ（ネット広告では、人が見えない場所に広告表示されていても、1インプレッションとして計上されるため）。一方、アドベリフィケーションとは、不適切な Web サイトへの広告表示を防ぐために、ツールを使用して広告の配信を管理すること。DSP による広告配信では媒体情報を広告主に開示できないケースもあるためである。DSP による広告配信では、広告主のブランド価値保護の観点から、ビューアビリティとアドベリフィケーションが重要になる。

DSPとSSP
媒体枠の購入を支援する仕組みと広告収益の最大化を支援する仕組み

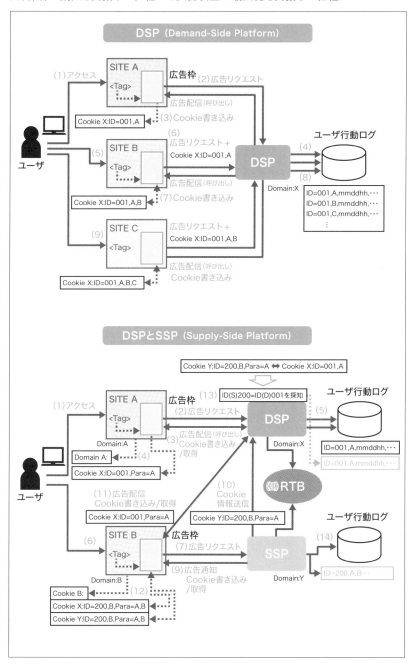

なぜ、プラットフォーマーが 大きな力を持っているのですか?

非常に利便性が高く、事業者・顧客が逃れられなくなります。

　プラットフォーマーとは一般に、インターネットを通じて第3者にサービス提供の場を提供する事業者のことです。プラットフォーマーとしてよく取り上げられるのは、グーグル、アップル、フェイスブック、アマゾンの4社、いわゆる GAFA です。たとえばアマゾンは、幅広い取扱品目によって、顧客と購買行動のデータを集め、EC・物流・金融決済のインフラを構築した上で、これらを外部事業者に提供しています。出店しているのは、小売事業者だけでなく、卸やメーカー、個人など多岐に渡り、アマゾンが提供する商品のレコメンドや広告、**API**（アマゾンのアプリケーションを自社サイトに組み込むためのインターフェイス）を利用することで売上を伸ばした一部の事業者は、すでにアマゾンなしでは売上が立てられなくなっています。

　IT サービスの分野でも、IT プラットフォーマーに**ベンダーロックイン**（「I-11」参照）される可能性が高いと考えられています。そのため、なるべく**スイッチング（乗り換え）コスト**の低い標準的な技術の利用が推奨されています。

Key word

プロダクトロックインとプラットフォームロックイン

　ベンダーロックインは、プロダクトロックインとプラットフォームロックインに分けられる。かつて問題になっていたプロダクトロックインは、特定の技術・製品・サービスを利用した際のリスク。これに対して、現在問題になっているプラットフォームロックインは、特定のプラットフォームの製品群やそのサービス全体を利用した際のリスクだ。具体的には、アイディアの剽窃、サービスの乗り換えが難しいこと、サービスの停止、料金の値上げなどが考えられる。そのため、特定の IT プラットフォーマーのサービスを利用する場合にも、つねに別の選択肢とスイッチングコストを頭に入れておく必要がある。

プラットフォーマーの提供価値（例：EC事業者）

通常、複数のインフラを組み合わせて、様々な事業者・顧客に提供する

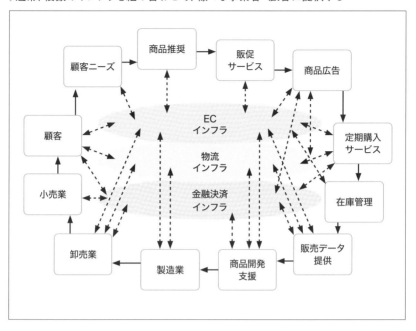

データの流れとビジネスの流れ

アプリケーションを自社サービスに組み込む

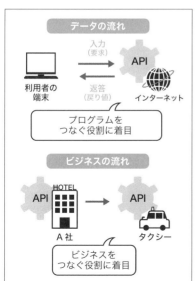

APIエコノミー（例：旅行関連サービス）

API利用の経済圏が誕生する

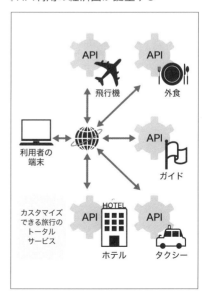

Fintechは、どのような変化を金融市場にもたらしますか？

ITベンダーが、金融市場にプレイヤーとして参加します

　これまで金融の世界は、各国政府の管理下、銀行や証券といった金融機関が、入金や決済、株や保険の売買といったビジネスを行っていました。こうした動きに変化が現れたのは、ネット証券の登場した2000年前後です。いつでも取引できる、手数料が安い、投資情報が入手可能などのメリットから、現在は取引の95％以上がネット証券経由になっています。これと同様の現象が現在、決済や送金、融資や資産運用、経理や財務管理などの分野に広がりつつあります。

　イノベーションの担い手になっているのは、金融を意味するファイナンス（Finance）と、技術を意味するテクノロジー（Technology）を組み合わせた造語 **FinTech** と呼ばれる分野でサービスを提供する ITベンダーです。それぞれ、決済・送金ではヤフー！や Origami、仮想通貨ではマネックス証券や GMO インターネット、クラウドファンディングでは CAMPFIRE や Readyfor、個人資産運用ではウェルスナビやお金のデザイン、ソーシャルレンディングでは SBI グループ、会計ではフリーやマネーフォーワードなどが有名です。

Key word

スマホ決済と決済方式

クレジットカードや電子マネーと同様にキャッシュレス決済の1形態であるスマホ決済には、「非接触IC方式」「QRコード決済方式」「キャリア決済方式」という3つの決済方式がある。非接触IC方式はスマホに搭載された無線通信技術を使って、スマホに登録されたクレジットカードや電子マネーで支払う。QR

決済方式は決済アプリ上に QR コードを表示させ、それを店側が読み取ることで、決済アプリに紐付いたクレジットカードや銀行の口座から引き落とされる。そしてキャリア決済は契約しているキャリアの通信料金とともに決済される。最近は、QRコード決済方式が主流になりつつある。

Fintechの種類とサービス
ITベンダーによる金融市場への参入が目立っている

種類	概要	サービス
決済・送金	スマートフォンを使って、買い物や送金できるサービス。さまざまなIT事業者が提供している	PAYPAY（ヤフー！）、Line Pay（Line）、Origami Pay（Origami）、ApplePay（アップル）、GooglePay（グーグル）、Kyash（Kyash）、pixivPAY（pixiv）、atone（ネットプロテクションHD）、VISA PayWave（VISA）
仮想通貨・ブロックチェーン	インターネット上で電子決済の手段として利用可能な通貨。国による価値の裏付けがなく、取引記録にブロックチェーン技術が使われている	Coincheck（マネックスG）、GMOコイン（GMOインターネット）、DMMBitcoin（DMM）、リップル（リップル）、NEM（NEMテクノロジ）、QASH（QUOINE）、イーサリアム、ビットコイン、Mijin（テックビューロー）、bitbank（ビットバンク）
クラウドファンディング	プロジェクト単位で、資金提供してくれる人をインターネット上で募るサービス。金銭的リターンのない寄付型、金銭的リターンが伴う投資型、何らかの権利や物品を購入する購入型などがある	CAMPFIRE（CAMPFIRE）、Readyfor（Readyfor）、JAPANGIVING（JAPANGIVING）、kibidango（kibidango）、Makuake（Makuake）、MotionGallery（モーションギャラリー）、ミュキュリテ（ミュージックセキュリティーズ）
個人資産運用	ユーザーの資産を預かって、株式や投資信託などへの分散投資を実施するサービス。最近、AIを活用したサービスが増えている	WealthNavi（ウェルスナビ）、THEO（お金のデザイン）、folio（フォリオ）、One Tap BUY（ワンタップバイ）
ソーシャルレンディング	不特定多数の出資者から集めた資金を借り手に融資して、運用がうまくいけば一定の利息をつけて資金を返済するサービス。融資型のクラウドファンディング。	maneo（maneo）、SBI Social lending（SBIグループ）、Crowd Bank（日本クラウド証券）、Crowd credit（クラウドクレジット）、Funds（ファンズ）
会計・経理	インターネット上で会社の経理・会計業務を実施できるサービス。業務の自動化、銀行取引データの読み込みなどが可能になっている	freee（フリー）、MFクラウド（マネーフォワード）、弥生会計オンライン（弥生会計）、A-SaaS（エーサース）、enigma pay（enigma）
個人財務管理（PFM）	銀行や証券、保険など、複数の口座情報と出金情報などをインターネット上で一元管理するサービス。効率的な資産設計と資産管理が可能になる	Moneytree（マネーツリー）、MoneyForward ME（マネーフォワード）、Zaim（Zaim）、Dr.Wallet（BearTail X）、Finbee（ネストエッグ）
保険	保険情報の一元管理、スマートフォン上での手軽な保険加入、データに基づく保険料の設定などを可能にするサービス	iChain保険ウォレット（iChain）、JustInCase（JustInCase）、SmartDrive（スマートドライブ）、LINEほけん（LINE）
金融情報	企業データ、M&A情報、統計データ、業界レポート、経済ニュース、物価指数、消費動向、売上予測などをネット上で提供するサービス	SPEEDA（ユーザベース）、NOWCAST（ナウキャスト）
セキュリティ	生体認証、スーパー乱数表、機械学習によるハッキングのパターン解析の活用や、なりすまし対策などで金融取引の安全性を高めるサービス	LIQUID（Liquid）、BankGuard（バンクガード）、FraudAlert（カウリス）、Capy（capy）
個人向けローン・融資	住宅ローンの借り換えや比較検討やシミュレーション、個人の信用力に基づく融資利率・限度額の設定、担保評価などのサービス	MOGE CHECK（MFS）、iYell（iYell）、WhatzMoney（WhatzMoney）、J.Score（J.Score）、OlivviA（ワンダラス）

スマホ決済の勢力図
今後は、グローバルでの競争も始まる

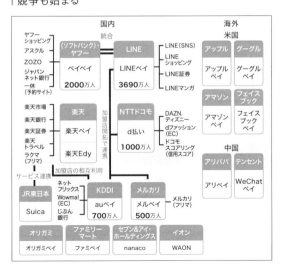

Fintechの市場
今後、大きく成長することが見込まれる

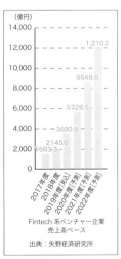

Fintech系ベンチャー企業
売上高ベース

出典：矢野経済研究所

195

仮想化技術はなぜ、注目されているのですか

物理リソースに縛られず、様々な使い方が可能になるからです。

仮想化とは、メモリ、サーバ、ネットワーク、ストレージなどのシステム構成要素について、その物理的な性質や境界を覆い隠す（抽象化する）ことで、柔軟な分割、集約、模倣を可能にすることです。

たとえば、サーバ仮想化では1台のサーバを複数台のサーバがあるように動作させることが可能であり、ストレージ仮想化では複数のストレージをまとめて1つのストレージとして扱えるようにすることが可能です。あるいはデスクトップ仮想化により、クライアントPCがサーバ上にある仮想PCを使うことで、あたかもデスクトップで作業しているような環境を構築できます。仮想化技術は、ホストOS上に仮想化ソフトウェアを動作させることで仮想化環境を構築する**ホストOS型**と、ハードウェア上のハイパーバイザが仮想環境を実現する**ハイパーバイザー型**の2つに分けられます。ホストOS型は手軽に利用できる反面、ハードウェアにアクセスする際にOSを経由するため、高速性や信頼性で劣ります。一方、ハイパーバイザー型はハードウェアを直接制御できるため、動作の安定性や高速性に優れています。

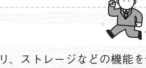

Key word

仮想化ソフトウェア、仮想マシン

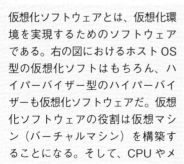

仮想化ソフトウェアとは、仮想化環境を実現するためのソフトウェアである。右の図におけるホストOS型の仮想化ソフトはもちろん、ハイパーバイザー型のハイパーバイザーも仮想化ソフトウェアだ。仮想化ソフトウェアの役割は仮想マシン（バーチャルマシン）を構築することになる。そして、CPUやメモリ、ストレージなどの機能を備えた仮想マシン上にゲストOSが載る。これにより、Windowsマシン上でLinux OSを動作させたり、Macintoshマシン上でWindows OSを動かしたりといったことが可能になる。仮想的に複数のOSを走らせることで、余剰なリソースを最大限活用できるようにするのだ。

仮想化の概念
ITリソースを抽象化することで、柔軟な利用が可能になる

> 仮想化 = IT の 物理リソース の 抽象化

仮想化によって可能になること
物理リソースを分割したり、まとめたり、変化させたりする

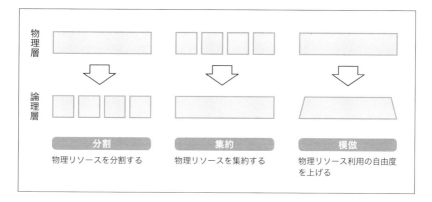

仮想化技術の分類
ホストOS型からハイパーバイザー型へと進化していった

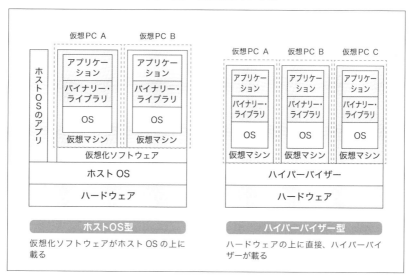

197

仮想化技術は、どのように使われているのですか?

サーバ、ストレージ、ネットワークなどに使われています。

　情報システムのインフラを支える、**ホスティング**や**ハウジング**、**クラウドサービス**（「Ⅲ-21」参照）といったサービスは、サーバ仮想化とストレージ仮想化によって実現されています。すなわち、インターネットの向こうにある1つのストレージを分割したり、複数のサーバを1つのサーバとして利用したりすることで、リソースの柔軟な利用、障害発生時のサービス提供、運用管理の手間の削減、ひいてはコスト削減を実現しているのです。

　ネットワーク仮想化の最も一般な利用例は**VLAN**（バーチャルLAN）です。VLANでは、物理的なLAN構成に縛られることなく、論理的なLANを構築できます。これにより、たとえば部署ごとにネットワークを分割することで、セキュリティを強化するなどのソリューションが可能になります。このほかメモリの有効活用を可能にするメモリ仮想化、端末・OSに縛られることなく、アプリケーション（アプリケーション仮想化）、デスクトップ環境（デスクトップ仮想化）を仮想化するソリューションも利用されています。

Key word

ライブマイグレーションとHCI

　ライブマイグレーションとは、サーバ仮想化環境で動く仮想マシンをOSやアプリケーションを停止させることなく別の物理サーバへと移動させること。ハードウェアのメンテナンス・入れ替え時に利用される。ライブマイグレーションには、対応するハイパーバイザーが必要となる。一方、HCI（ハイパーコンバージドインフラ）とは、「SDS」と呼ばれるソフトウェア仮想化技術を利用することで、汎用サーバマシン間でサーバ機能とストレージを共有する技術。サーバマシンをネットワークに接続するだけで簡単に処理能力を増やせて、システムを停止したり、接続機器を用意したりする必要もない。

仮想化技術の応用例

基本的に、分割、集約、模倣のいずれかの用途で利用されることになる

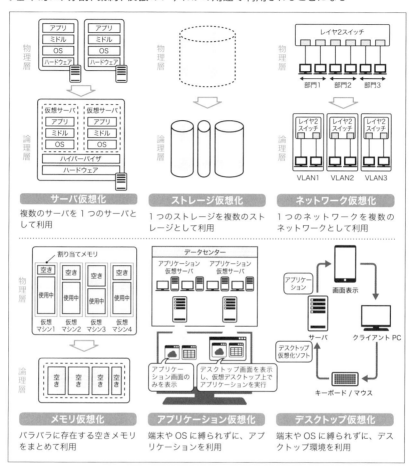

仮想化ソフトウェアの代表的な製品

サーバ、ストレージ、デスクトップの仮想化を支援するソフトウェア

ホスト OS 型		ハイパーバイザー型	
ソフトウェア	開発元	ソフトウェア	開発元
Xen	Xen コミュニティ	Vmware Server、Workstation、Player、Fusion	VMWare
Vmware ESX、ESXi、vSphere	VMWare	Virtual PC、Server	マイクロソフト
Hyper-V	マイクロソフト	VirtualBox	オラクル
KVM	Linux コミュニティ	Parallels Workstation、Desktop	パラレルス

コンテナ仮想化とは、どのような概念ですか?

容易にサーバ仮想化を利用できるようにする仕組みです。

　従来のサーバ仮想化には、仮想化ソフトウェア上の仮想マシンやゲストOSがメモリやサーバのリソースを使用し過ぎるというデメリットがありました。こうしたデメリットを避けるために誕生したのが**コンテナ仮想化**です。

　コンテナ仮想化では、コンテナエンジン上にOSの一部機能を搭載することで「仮想的なユーザー空間＝コンテナ」を構築します。コンテナ仮想化では、仮想マシンとゲストOSの立ち上げが必要ないために起動時間が短く、メモリやサーバの負荷も小さくなります。また、コンテナ内の環境をパッケージとして保存・移行でき、コンテナ内にほぼすべてのシステム環境を構築できるため、システム開発に必要な時間を大幅に削減できます。

　ただし、仮想化された各コンテナはホストOSの一部を共有して稼働するためにベースとなるOSは選べず、ホストOSと同じOS環境を利用することになります。また、別のコンテナにおける負荷やセキュリティの影響を受けやすいなどのデメリットもあります。

Key word

DockerとKubernetes

Dockerとはコンテナエンジンの業界標準であり、主要なクラウドサービス、サーバにサポートされる。Dockerには、コンテナ内環境を「Dockerファイル」として保存・移行できる仕組みのほか、コンテナ内のデータをバイナリファイル化として保存・移行できる「Dockerイメージ」という仕組み、様々なミド

ルウェアやアプリケーションがインストール済みのDockerファイルを多数登録した「Docker Hub」というサービスが用意される。一方、Kubernetesとはコンテナを管理（コンテナオーケストレーション）するツールである。Kubernetesを使えば、コンテナの設置、割り当てリソース量の増減などが可能になる。

一般的な仮想化とコンテナ仮想化
ゲストOSがないため、メモリやサーバのリソースが抑えられる

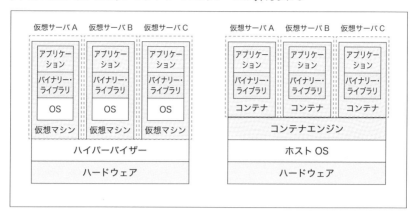

コンテナ仮想化のメリット・デメリット
開発環境の構築などでの利用が進んでいる

メリット	デメリット
・負荷が小さく、高速な動作とコスト削減が可能 ・環境構築に必要な時間を大幅に削減可能 ・ほぼすべてのシステム環境で利用可能	・OSを共有するために、コンテナ内で別々のOSを個別に利用できない ・ベースとなるOSは変更できない ・別のコンテナにおける負荷の影響、セキュリティの影響を受けやすい

コンテナエンジンとオーケストレーションツール
コンテナ仮想化にはオーケストレーションツールが必須

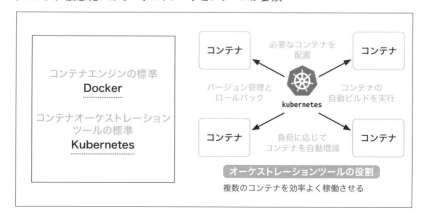

クラウドサービスを利用するメリットは、何ですか?

必要なとき、必要なだけ、必要なサービスを利用できます。

クラウド（コンピューティング）サービスは一般に、サービスベンダー側がどこまでの範囲をサービスとして提供するかによって分類されます。アプリケーションからインフラまでのすべてを提供するサービスは**SaaS**、ミドルウェアからインフラまでを提供するサービスは**PaaS**、ハードウェアやインフラのみを提供するサービスは**IaaS**と呼ばれています。

クラウドサービスは当初、「システムの自由度が下がる」「システム障害のリスクが上がる」「セキュリティ上のリスクが高い」ことから、多くのユーザー企業は導入を回避していました。

しかし、「必要なとき、必要なだけ、必要なサービスを短期間に調達可能」「料金は使った分だけ支払う（**重量課金制**）」「あらかじめ設定すれば急激なアクセス増加にも自動的に対応（**スケールアウト**）」「**冗長化**（二重化）や災害復旧が容易」などの点が評価され、米国ではベンチャー企業を中心に活用が始まり、日本でも近年、採用する企業が急速に増えています。

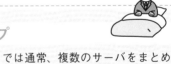

Key word

スケールアウトとスケールアップ

スケールアウトとスケールアップはいずれも、サーバの処理能力を指すが、意味は違う。垂直スケールとも呼ばれるスケールアップは、端末自体の処理能力を向上させる（たとえば、メモリの増設）。対して、水平スケールとも呼ばれるスケールアウトは、端末の数を増やすことで処理能力を向上させる。スケールアウトでは通常、複数のサーバをまとめて1つのサーバとして扱えるようにするサーバ仮想化によって実現される。一般に、スケールアウトは、個々の処理は比較的単純だが、多数のデータを同時並行で処理する場合に有効だ。一方、スケールアップは個々の処理が比較的複雑で、計算工程が長い場合に求められる。

オンプレミスとクラウドサービスの比較

提供されるサービスが右に行くに従って増える

オンプレミス	ハウジング	ホスティング	IaaS	PaaS	SaaS
データ	データ	データ	データ	データ	データ
アプリケーション	アプリケーション	アプリケーション	アプリケーション	アプリケーション	アプリケーション
ミドルウェア	ミドルウェア	ミドルウェア	ミドルウェア	ミドルウェア	ミドルウェア
OS	OS	OS	OS	OS	OS
サーバ	サーバ	サーバ	サーバ	サーバ	サーバ
ネットワーク・ストレージ	ネットワーク・ストレージ	ネットワーク・ストレージ	ネットワーク・ストレージ	ネットワーク・ストレージ	ネットワーク・ストレージ
データセンター	データセンター	データセンター	データセンター	データセンター	データセンター

■ ユーザが管理するサービス　　■ 提供されるサービス

オンプレミスとクラウドサービスの違い

世界のITメジャーがクラウドサービスの分野で戦っている

	オンプレミス	クラウド
初期費用	高い	安い
月額費用	固定費	変動費
利用開始可能日	設備導入後	申し込み後すぐ
カスタマイズ	自由	制限あり
自社の他のシステムとの連携と運営	容易	制限あり
セキュリティ	設定次第	災害に強い
障害対応の復旧時間	長い	短い
災害復旧	比較的困難	比較的容易
冗長化（二重化）	高い	安い

どのようなクラウドサービスが、提供されていますか?

IaaS、PaaS、SaaSなどをITメジャーが提供しています。

　「ユーザーが様々な処理を実行するにあたってサーバやソフトの種類などを考慮することなく、インターネットの先に置かれているサービスに頼めばいい」という概念を、「クラウド＝雲」という言葉で表現したのは、グーグルの元CEOの**エリック・シュミット**であると言われています。グーグルは当初、GmailやGoogleカレンダー、Googleドキュメントといったアプリケーションレベルのサービスを提供しました。こうしたクラウドサービスを情報システムのインフラとして利用できるサービスとして提供を始めたのはアマゾンです。この**AWS**（Amazon Web Service）は需要に応じた計算能力を、設定変更のみで提供することが評価されて急速に利用が広がり、後続したグーグル、マイクロソフトを抑えて、世界シェアトップとなっています。

　なおクラウドサービス（コンピューティング）が実現できるようになった背景には、ネットワーク回線整備による高速化はもちろん、様々な仮想化技術が実用化されたことで、膨大なサーバ群が提供する処理能力を利用可能になったことがあります。

Key word

Amazon EC2とAmazon S3

AWSのうち、最も人気が高いサービスは、Amazon EC2（Amazon Elastic Compute Cloud）とAmazon S3（Amazon Simple Storage Service)である。Amazon EC2はいわゆるIaaSのサービスであり、「インスタンス（基本、サーバ）×時間」単位で課金される。一方、Amazon S3はオンラインストレージを提供するサービスで、ストレージ容量（GB単位で課金）、データ転送（S3からの送信量に応じて課金）、リクエスト数（S3上の操作に対して課金）に応じて課金される。このほか、AMI（バックアップ用のディスクイメージ）、ELB（ロードバランサー＝負荷分散）、RDS（DB）なども用意されている。

代表的なクラウドサービス

世界のITメジャーがクラウドサービスの分野で戦っている

分類	サービス名	説明	提供
SaaS	Salesforce	マーケティング支援、営業支援、カスタマーサポートなどの機能を提供するアプリケーション・サービス	セールスフォース
	G Suite	メール送受信、ストレージ、スケジュール管理、オフィスソフト、グループウェアなどの機能を提供するアプリケーション・サービス	グーグル
	Windows 10	メール送受信、ストレージ、スケジュール管理、ブログ、メッセンジャーなどの機能を提供するアプリケーション・サービス	マイクロソフト
PaaS	Google App Engine	グーグルが提供する Paas サービス。Python、Java、PHP、Go などによる構築や Google Compute Engine との組合せが可能	グーグル
	Heroku	Ruby、Java、PHP、Python などを使用してアプリケーションを記述できる Paas サービス。セールスフォースの傘下	ヘロク
	FluxFlex	WordPress、Rails、Django などをワンクリックインストールし、Git を利用してカスタマイズできる Paas サービス	fluxflex
	Force.com	Appforce、Site.com、ISVforce、Heroku といったサービスを利用したアプリケーション構築が可能な Paas サービス	セールスフォース
	Microsoft Azure	マイクロソフトが提供する Paas & Iaas サービス。Windows や Linux、SQL Server や Oracle、C# や Java などに対応	マイクロソフト
IaaS	Amazon EC2	アマゾンが提供する Iaas サービス。リソースの即時調達とアプリケーションのスケーラブル展開が可能	アマゾン
	Google Compute Engine	グーグルが提供する Iaas サービス。Google の検索・メール・マップと同じハードウェア・ソフトウェア性能で提供される	グーグル
	ニフティクラウド	ニフティが提供する純国産の Iaas サービス。データセンターが国内に設置され、使いやすさやわかりやすさに定評あり	ニフティ

クラウドサービス導入の注意点

システムに求められるものを洗い出し、慎重に検討

どこまでクラウドに移行するか

セキュリティレベルは大丈夫か

サービスレベルは十分か

ピーク時などの対応が柔軟か

ハイブリッドクラウド、マルチクラウドとは何ですか？

組み合わせることで、様々な用途で使用可能になります。

　クラウドサービスは、すべての企業・個人に対して開放されている**パブリッククラウド**と、安全性や保守性を高めた、特定企業向けの**プライベートクラウド**に分類できます。パブリッククラウドを提供する IT ベンダーはグローバル展開する大手外資系であり、規模に劣る日本企業は主にパブリッククラウドの提供で対抗しています。

　近年、こうした様々なクラウドサービスを組み合わせるケースが増えています。パブリッククラウドと、プライベートクラウドやオンプレミスを組み合わせることは**ハイブリッドクラウド**と呼ばれます。一方、複数の異なるパブリッククラウドを組み合わせることは**マルチクラウド**と呼ばれます。一般に、ハイブリッドクラウドは、モバイル連携や負荷分散、ピーク対応や業務による使い分けなどを目的として利用され、マルチクラウドはコスト削減や PaaS 連携、パフォーマンスの最大化やベンダーロックイン回避などを目的として利用されます。ただし、いずれも扱うプラットフォームが増えるため、業務手順が複雑になり、運用管理に手間がかかります。

Key word

BCP対策と負荷分散

ハイブリッドクラウドを利用するケースで多いのが BCP（Business Continuity Plan、事業継続計画）対策と負荷分散（特に、短期的なサーバ負荷増加への対策）だ。BCP 対策にあたっては、災害などの非常事態に際しても自社のデータを保全でき、重要業務への影響を最小限に抑え、業務を一時的に停止しても可能

な限り迅速に再開できる仕組みづくりが求められる。そのため、オンプレミスとクラウドサービスを組み合わせるなど、物理的に異なる場所でデータのバックアップを取ることが多い。また外部からの急激かつ膨大なアクセスに対応するため、ハイブリッドクラウドを利用するケースも増えている。

パブリッククラウドとプライベートクラウド

パブリッククラウド＝共有クラウド環境、プライベートクラウド＝専用クラウド環境

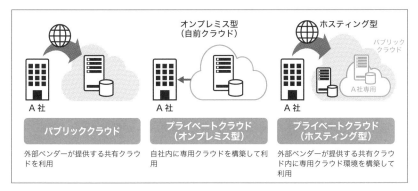

パブリッククラウド
外部ベンダーが提供する共有クラウドを利用

プライベートクラウド（オンプレミス型）
自社内に専用クラウドを構築して利用

プライベートクラウド（ホスティング型）
外部ベンダーが提供する共有クラウド内に専用クラウド環境を構築して利用

ハイブリッドクラウド

パブリッククラウドと、プライベートクラウド・オンプレミスを組み合わせる

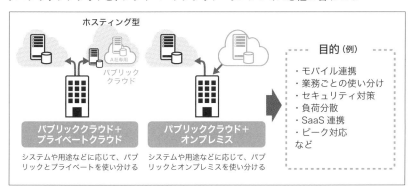

パブリッククラウド＋プライベートクラウド
システムや用途などに応じて、パブリックとプライベートを使い分ける

パブリッククラウド＋オンプレミス
システムや用途などに応じて、パブリックとオンプレミスを使い分ける

目的（例）
・モバイル連携
・業務ごとの使い分け
・セキュリティ対策
・負荷分散
・SaaS連携
・ピーク対応
など

マルチクラウド

複数のパブリッククラウドを組み合わせる

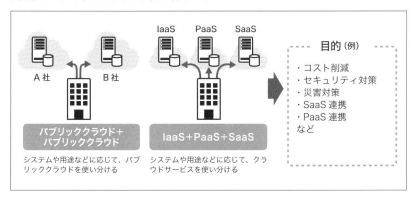

パブリッククラウド＋パブリッククラウド
システムや用途などに応じて、パブリッククラウドを使い分ける

IaaS＋PaaS＋SaaS
システムや用途などに応じて、クラウドサービスを使い分ける

目的（例）
・コスト削減
・セキュリティ対策
・災害対策
・SaaS連携
・PaaS連携
など

サーバレスやFaaSとは、どのようなサービスですか？

サーバ管理が不要なので、柔軟かつ容易に利用できます。

　サーバレスアーキテクチャとは、外部からのリクエストやイベントが発生したときにだけ、事前に登録したプログラムが実行される仕組みです。サーバレスアーキテクチャを実現するクラウドサービスは、**FaaS**（Function as a Service）と呼ばれています。

　FaaSでは、サーバを常時起動する必要がないためにサーバ管理が不要で、処理実行中にのみ料金が発生するために費用対効果が高く、**コンテナ仮想化**技術が使われているために短時間で起動し、機能として組み込まれているためにリクエスト数に応じたスケールアップ（「Ⅲ-21」参照）も容易です。

　一方で、サービスによる違いはあるものの、「同時実行数」「秒当たりの実行上限数」「設定可能なコードや割り当て可能なメモリの最大サイズ」「一回の実行にかかる時間」に制限が設けられています。そのため、リクエストやイベントの発生時に機能しないことが致命的なシステムには向いていません。現在、グーグル、アマゾン、マイクロソフトなどがサービスを提供しています。

Key word

イベントドリブンとマネージドサービス

イベントドリブン（イベント駆動型）とは、ユーザーや外部からのイベントやリクエストに対応する形で、事前登録した処理（プログラム）が実行されるソフトウェア開発方式。また、マネージドサービスとは一般に、外部事業者によるシステムの運用管理を受託するサービスのことを指す。いわゆるアウトソーシングがオンプレミスやデータセンターなどにおける運用管理受託を指すのに対して、マネージドサービスはクラウドサービスにおける運用管理受託を指すことが多い。つまりサーバレスアプリケーションは多くの場合、マネージドサービスとしてイベントドリブンで開発されることになると考えられる。

サーバレスを実現するFaaS
FaaSとは、PaaSとSaaSの中間的存在のようなサービスとなる

オンプレミス	ハウジング	ホスティング	IaaS	PaaS	FaaS	SaaS

ユーザが管理するサービス　提供されるサービス

主なFaaSとそのサービス概要
現在、アマゾン、マイクロソフト、グーグル、IBMがサービスを提供している

サービス名称	AWS Lambda	Azure Functions	Cloud Functions
提供ベンダー	アマゾン	マイクロソフト	グーグル
動作タイプ	サーバレスのみ	サーバレス・App Service (PaaS)	サーバレスのみ
対応言語	Node.js 6/8, Python2/3, Java, C#, Go, PowerShell, Ruby. カスタムランタイム	Node8/10, C#, F#, Java8, Python3（プレビュー）, Typescript	Node.js 6, Node.js 8, Node.js 10 (beta), Python3, Go
対応 OS	Amazon Linux	Windows, Linux（Linux は App Service のみ）	Linux
最大実行時間	900 秒	600 秒（App Service 上なら無制限）	540 秒
リクエスト料金	$0.2/100 万リクエスト	22.4 円 /100 万リクエスト（東日本）（App Service なら無料）	$0.4/100 万リクエスト
使用量課金	メモリ $0.00001667/GB- 秒	0.001792 円 /GB- 秒 (App Service なら無料)	メモリ $0.0000025/GB- 秒、CPU $0.00001/GHz- 秒
課金対象時間	100 ミリ秒単位切り上げ	1 ミリ秒単位切り上げ	100 ミリ秒単位切り上げ
毎月無料枠	100 万回、400,000 GB- 秒 まで無料	100 万回、400,000 GB- 秒まで無料	200 万回、400,000 GB- 秒、200,000 GHz- 秒 まで無料
日本リージョン	あり	あり	あり
SLA	99.95%	99.95%	－

クラウドサービスは、ITベンダーにどのような影響を与えますか?

従来型ITサービスの市場はさらなる縮小が予想されます。

　日本発の会計ベンチャー企業の上場が大きく注目されたように、ソフトウェアやハードウェアの機能を IT サービスとして提供するクラウドサービスは、現在急速に普及しています。クラウドサービス上では、システムの運用フェーズで必要だった作業の多くが画面上の設定だけで可能になるため、ハードウェアやソフトウェアの購入・開発コストだけでなく、運用管理コストも下がります。

　つまり、クラウドサービスの利用拡大は、IT ベンダーにとって作業効率の向上とともに案件規模の縮小を意味するのです。実際、クラウドサービスを利用したところ、システム開発運用の受注金額が 1 桁から 2 桁下がった例もあり、ある調査によれば従来型の IT サービス市場は縮小しつつあります。

　そのため、IT ベンダーは、情報資産の現状分析と評価をした上で、既存システムとクラウド上のシステムの連携、クラウド上における自社開発の SaaS 型サービスの提供、そして IoT や AI による新たな IT サービスの開発などが求められています。

Key word

ガートナーとIDC

　ガートナーと IDC はともに、IT 分野を専門とする米国の調査会社であり、どちらにも日本支社がある。特に、ガートナーのハイプ・サイクルと呼ばれる特定 IT 技術の成熟度、採用度、社会への浸透度を示す図は有名だ。主に IT 関連企業の経営層や経営企画部門、マーケティング部門を顧客に抱えており、数千人規模の専門家(リサーチャー)による調査のほか、会員制サービスやコンサルティング、そして定期的なカンファレンスサービスを提供している。ガートナーがやや IT ベンダー寄りであるのに対して、IDC は IT ベンダーだけでなく、通信事業者向けのサービスも提供している印象だ。

クラウドサービスによって置き換えられている情報システム

業務アプリケーション以外はすべて大手クラウドサービスに置き換えられる可能性がある

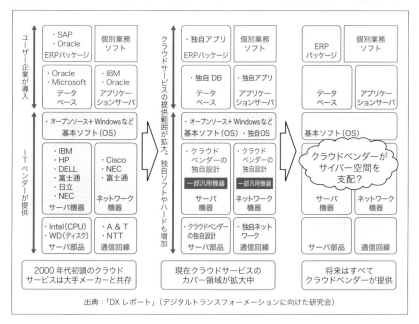

出典：「DX レポート」（デジタルトランスフォーメーションに向けた研究会）

従来型IT市場とIoT/AI関連の市場

従来型市場はすでに
縮小傾向にある

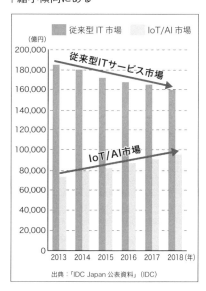

出典：「IDC Japan 公表資料」（IDC）

情報資産の現状分析と評価

ユーザー企業への適切な提案が
求められる

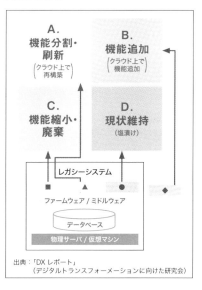

出典：「DX レポート」
（デジタルトランスフォーメーションに向けた研究会）

211

なぜ、人工知能に注目が集まっているのですか？

機械学習の進化により、実用化が見えてきたからです。

　人工知能（AI） とは一般に、人工的にコンピュータ上などで人間と同様の知能を実現させようという試みやそのための技術のことを指します。これまで、1960年代には**探索と推論**（第1次ブーム）、1990年代には**知識表現**（第2次ブーム）などの概念が誕生し、人工知能は度々、注目を集めてきました（その後、熱気が冷めて、冬の時代を迎える）。そして2010年代の第3次ブームの背景には、ソーシャルメディアなどに蓄積される膨大な量のユーザー情報（**ビッグデータ**）を分析したいというニーズと、その解析を可能にする**機械学習**の進歩があります。AI将棋やAI囲碁などとともに、機械学習の事例として注目を集めたのは、ネット上にある画像データにタグ付けする取り組みです。こうした膨大な画像データをすべて人力でタグ付けするのは不可能です。そこでグーグルは、人手で犬とタグ付けした犬の画像データを大量に読み込ませることで、コンピュータが新たに入力された画像が犬であることを自動的に識別できるようにしたのです。ただ近年は、機械学習の限界も言及されるようになっています。

Key word

探索と推論、知識表現

探索とは与えられた状態から目的の状態に至るまでの状態変化を場合分けによって探し出すこと、推論とは既知の知識をベースに未知の事柄を推量することだ。探索と推論アプローチでは、解くべき課題をあるルールとゴールが決められているゲームに置き換えれば、コンピュータが解を見つけられることがわかったが、ルールとゴールが明確でないと、使いものにならなかった。一方、知識表現とは、人間の知識をコンピュータが扱えるようにするための表現形式だ。知識表現には知識内容に整合した表現方法が採られる。しかし、知識を大量にインプットしたエキスパートシステムは、矛盾するルールが並行すると動作しなかった。

人工知能の歴史

第1次、第2次を経て、現在、第3次の人工知能ブームを迎えている

人口知能の置かれた状況	主な技術等	人口知能に関する出来事
1950年代		チューリングテストの提唱（1950年）
1960年代 第1次人口知能ブーム（探索と推論）	● 探索、推論 ● 自然言語処理 ● ニューラルネットワーク ● 遺伝的アルゴリズム	ダートマス会議にて「人口知能」という言葉が登場（1956年） ニューラルネットワークのパーセプトロン開発（1958年）
1970年代		人口対話システムELIZA開発（1964年）
冬の時代	● エキスパートシステム	初のエキスパートシステムMYCIN開発（1972年） MYCINの知識表現と推論を一般化したMYCIN開発（1979年）
1980年代		
1990年代 第2次人口知能ブーム（知識表現）	● 知識ベース ● 音声認識 ● データマイニング ● オントロジー	第五世代コンピュータプロジェクト（1982〜92年） 知識記述のサイクプロジェクト開始（1984年） 誤差逆伝播法の発表（1986年）
2000年代 冬の時代	● 統計的自然言語処理	
2010年代 第3次人口知能ブーム（機械学習）	● ディープラーニング	ディープラーニングの提唱（2006年） ディープラーニング技術を画像認識コンテストに適用（2012年）

出典：「情報通信白書」（総務省）

人工知能の分類

現在、実用化の段階に入っているのは主にレベル3

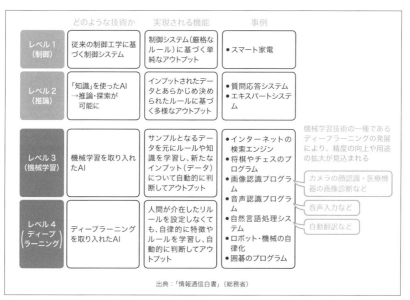

出典：「情報通信白書」（総務省）

機械学習と深層学習には、どのような違いがありますか?

特徴点を定義するのが、人間かAIかによって分類されます。

　第3次AIブームの現在、特に注目を集めているのは、**機械学習**と**深層学習**です。機械学習では、人間が判断のポイントとなる**特徴点（モデル）**を与え、そこから学んだルールや知識に基づいて結果（正しい答え）をアウトプットします。一方、深層学習では、人間が特徴点を教えることなく、データからコンピュータが特徴点を自動抽出し、そこから学んだルールや知識に基づいて結果をアウトプットします（そのため、深層学習はブラックボックス化しやすいという批判もある）。

　機械学習はまた、**教師あり学習、教師なし学習、半教師あり学習、強化学習**に分類できます。それぞれ、教師あり学習では「正解となる入力・出力データから入力と出力の関係を学習」し、教師なし学習では「入力データの構造・特性のみから入力と出力の関係を学習」し、半教師あり学習では「教師あり学習と教師なし学習の両方のアプローチで学習」し、強化学習では「与えられた環境から自ら入力と出力の関係を学習」します。

　機械学習の用途に応じて、どのアプローチを採るべきかを決めるのです。

Key word

ニューラルネットワークとパターン認識

ニューラルネットワーク（NN）とは、脳の機能特性をコンピュータ上で表現するために作られた数学モデル。NNでは、パラメータを調整することで、人間が望む結果をアウトプットできるようになる。NNには、深層学習で使われる「ディープニューラルネットワーク（DNN）」、画像認識や自然言語処理などで使われる「畳み込みニューラルネットワーク（CNN）」などがある。一方、パターン認識とは、音声、画像、文字などの雑多なデータから、一定の規則や意味を持つ対象を選別して取り出す処理だ。パターン認識を実現するには、認識対象から何らかの特徴量（結果を特徴付けるもの）を抽出する必要がある。

人工知能、機械学習、深層学習、深層強化学習の関係
深層学習は機械学習の1ジャンルであり、深層強化学習は深層学習の1ジャンルである

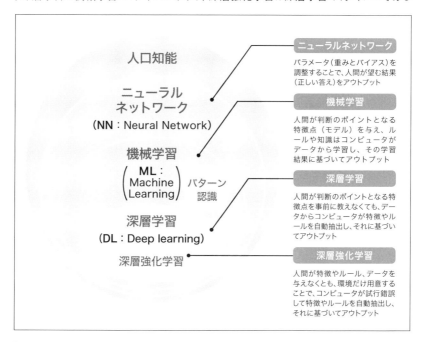

教師あり学習、教師なし学習、半教師あり学習、強化学習の関係
学習データに正解ラベルを付けるか、付けないかによって分類される

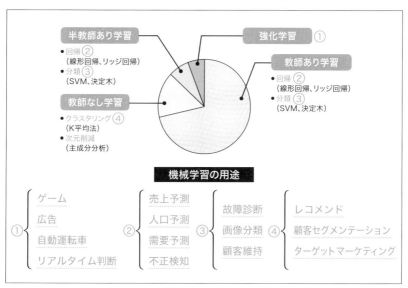

AIシステムはどの分野で、利用が期待されていますか?

オフィス全般から、生産・小売現場など、様々です。

　現在、機械学習を活用した **AI システム**の実用化が始まっています。すでにサービスが提供されているのは、機械学習のアルゴリズムを利用した検索エンジン、医療診断、スパムメール検出、金融市場予測などのほか、**画像認識**や**音声認識**です（いずれも、**パターン認識**の一種）。それぞれ、画像認識は工場の不良品検出や高齢者の見守り、自動運転や指紋認証などに、音声認識は議事の書き起こしや自動応答（チャットボットなど）、話者の認識や感情分析などにおいて、サービス提供が始まっています。

　AI システムの導入にあたっては通常、導入前に、**PoC**（**Proof of Concept**、概念実証）と呼ばれる、「目的とする成果が得られるか」を検証するプロジェクトを実施します（ただし、IT 業界以外でも PoC は実施されている）。PoC のプロジェクトでは、コンセプトを検証するためのシステムを小規模で短期間に試作し、それを実際に使ってもらうことでユーザー企業からフィードバックをもらい、軌道修正します。その上で、コンセプトを実現するべきかを判断するのです。

Key word

MLライブラリ

　ML（機械学習）ライブラリは、ニューラルネットワークの計算と学習を担う。深層学習の AI システムを構築する場合、ゼロからコーディングするのは非効率なため、ML ライブラリを利用する。現在、開発現場で主に使われている ML ライブラリには、グーグルが開発した「TensorFlow」、フェイスブッ

クが開発した「PyTorch」、そして TensorFlow などの上で動作する「Keras」がある（なお、日本の PFN が開発した「Chainer」は 2019 年に開発を終了した）。いずれもオープンソースソフトウェアだが、対応するプログラミング言語や OS、オープンソースのライセンス、そして開発の難易度が異なる。

AIシステムによる様々なサービス

ネット上ではサービスが提供され、徐々にリアル空間のサービスが浸透し始めている

画像認識、音声認識、自然言語処理の進化比較

画像認識、音声認識、自然言語処理については、今後さらなるサービス導入が進められると考えられる

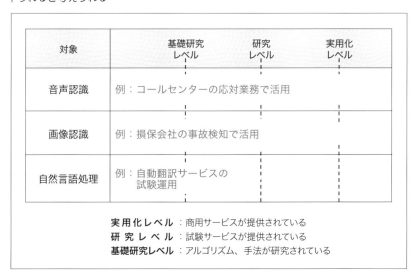

217

ブロックチェーンとは、どのような仕組みですか？

P2Pで取引履歴を管理することで信頼性を担保します。

　ブロックチェーンとは、一定期間の取引（ブロック）記録をチェーンのように分散して保存するネットワーク技術です。通常、取引記録の保存は公平中立な第三者機関などが取得履歴を管理することで、信頼性を担保します。しかしブロックチェーンでは、取引のユーザー全員が互いにやりとりしながら取引履歴を管理することで、信頼性を担保します。ブロックチェーンのように、複数のユーザーが対等な立場で通信する方式は一般に、**P2P**（Peer to Peer）と呼ばれます。P2P方式を採用したことで、ブロックチェーンはシステム障害に強く、データの改ざんが実質不可能で、しかも低コストでの利用が可能です。一方で、メンテナンスコストが高く、取引履歴のリアルタイム更新は難しく、店舗での即時決済には使えません。

　ビットコインなどの**仮想通貨**を支える技術として発明されたブロックチェーンですが、本来、記録管理のプラットフォームとして幅広く広可能です。今後は、権利管理や契約管理、資産や手続きの履歴管理など、適用領域は広がっていくと考えられています。

Key word

ビットコイン、イーサリアム、イーサ

ビットコインは、インターネット上で利用できる仮想通貨の一つ。サトシ・ナカモトを名乗る人物が提出した論文が1つの契機となって、システムが構築され、2009年に運用が開始された。通貨は国家が保証することで価値が生じるが、ビットコインなどの仮想通貨は特定国家の保証や金融機関の管理なしに運営されている（そのため、投機的と指摘する声も多い）。一方、イーサリアムは、取引自動化ための分散プラットフォームであり、イーサはその内部通貨だ。イーサは、取引実行と同時に契約内容や権利譲渡履歴を管理できる（スマートコントラクト）点でビットコインよりも優れていると言われる。

ブロックチェーンの仕組み
中間管理者なしでも、情報を安全に管理できるようになっている

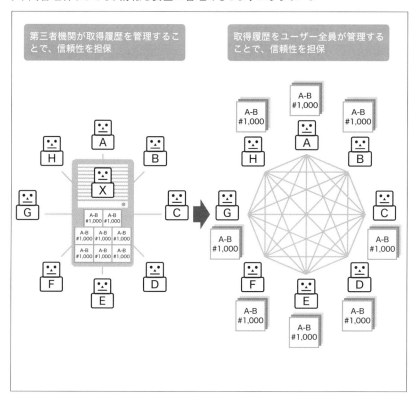

ブロックチェーンによって可能になるサービス
今後は、仮想通貨以外の分野でもブロックチェーンが使われると予想される

フェーズ	第1段階	第2段階	第3段階
適用領域	仮想通貨	権利管理、契約管理、資産管理、手続き管理、分散型金融プラットフォーム	分散型プラットフォーム（金融以外）
提供価値	価値情報履歴の記録	権利履歴の記録、契約履歴の記録、資産履歴の記録、手続き履歴の記録	権利履歴の記録、契約履歴の記録、資産履歴の記録、手続き履歴の記録
実現するサービス	暗号通貨、分散台帳、原始的なブロックチェーン	スマートコントラクト、スマートプロパティ、決済、送金、株式、ローン、クラウドファンディング	サプライチェーン、トレーサビリティ、ID・個人情報管理、スマートシティ、登記・特許・著作権管理
ブロックチェーン技術	bitcoin、DOGECOIN、litecoin、MONACOIN	orb、nem、ethereum、FABRIC	IROHA、SATORI、IOTA、CARGOCHAIN

IoTシステムを構成する要素は、何ですか?

センサ・デバイス層とシステム層がネット経由でつながります。

　IoT（Internet of Things、モノのインターネット）とは、すべてのモノがインターネットを介してつながるようになるという概念です。IoTでは、情報端末だけでなく、家電や自動車、住宅や事務所、ICタグや産業機器・設備といったモノ同士の自律的なやり取りによって得られたデータを、インターネットを通じて情報システムに蓄積・分析・学習することで知見を得て、その知見を現実世界にフィードバックします。なお、IoTと近い概念とされるM2Mは、モノ同士の自律的なやり取りによって正確かつリアルタイムな制御につなげる概念です（工場内や車内など、閉じた空間で使われる）。

　現在、IoT導入が進んでいる工場で使われるIoTシステムは通常、各種センサーが組み込まれた産業機器・設備（センサデバイス層）、センサーからのデータを取得する無線機器（デバイスネットワーク層）、インターネット（層）、データを蓄積するサーバ（IoTシステムサーバ層）、データを分析・学習するシステム（IoTシステムアプリケーション層）で構成されます。

Key word

LPWA、IoE、WoT

IoTシステムではしばしば、接続されるモノが非常に多く、電源供給が容易でないため、帯域が狭く消費電力の低い無線技術が必要となる。そこで注目されているのがLPWAと呼ばれる無線通信技術だ。LPWAのうち無線局免許が不要なアンライセンス系LPWAであれば、企業レベルでも運用可能である。また、

IoE（Internet of Everything）はモノだけでなく、ヒトや場所などがインターネットにつながるという概念。IoEでは、都市におけるスマートメーターを利用した水道やゴミの管理が可能になる。そして、WoT（Web of Things）は既存のWeb技術やプロトコルを利用してIoTのサービスを提供するという概念だ。

IoTの概念
現実世界からデータを収集・分析し、
サービスとして提供

IoTとM2M
違いは、サービスを提供するネットワーク
の範囲

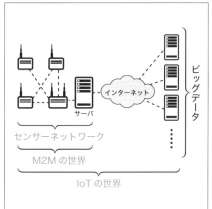

IoTシステムの構成 (例)
センサーやデバイスからのデータを収集・蓄積・分析することで価値につなげる

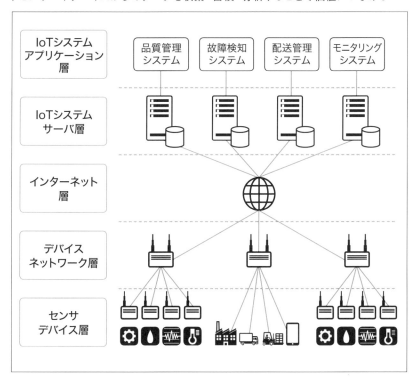

221

IoTシステムは、どの分野で利用が期待されていますか？

交通から、工場、オフィスビル、農地まで様々です。

　現在、**IoTシステム**は様々な領域での導入が進められています。具体的には、倉庫における位置情報の取得、コンテナ内における温湿度の管理、店舗内の顧客動線分析、住宅の不審者検知、渋滞状況の配信、独居老人の異常検知、光量・CO_2濃度を制御した農業など様々なサービスの提供が期待されます。

　こうしたサービスを支えるのが**IoTプラットフォーム**です。IoTシステムで重要なのは、膨大なデータを収集・分析・学習して、現実世界に価値を提供することです。このデータの収集・分析・学習を支えるインフラ基盤がIoTプラットフォームなのです。現在、マイクロソフトが提供する「Azure IoT」、SAPが提供する「SAP Leonardo」、ソラコムが提供する「SORACOM IoT」、アマゾンが提供する「AWS IoT」など様々なIoTプラットフォームが存在します。ただし、「機械学習による分析・学習が手厚い」「センサーからのデータ収集に強い」「ある産業に特化している」など、サービスごとの特徴は様々なので、利用にあたっては注意深く選定する必要があります。

Key word

インダストリー4.0とGE

インダストリー4.0とは、製造業のオートメーション化・データ化・コンピュータ化、そして最適化を進める概念であり、その実現にはIoT化によって効率的に製品を多品種少量生産するスマートファクトリーが欠かせない。この実現に取り組んだのが米国の総合電機メーカー、ゼネラル・エレクトリック（GE）だ。GEは、GEデジタルを設立し、IoTプラットフォーム「プレディクス（Predix）」を開発し、外販を開始した。しかし他のITベンダーとの競合にも晒され、販売が伸び悩む。GEは自社単独でのIoTプラットフォームの提供を諦め、マイクロソフトと提携、GEデジタルの売却に追い込まれた。

IoTの価値、プラットフォーム、要素技術、対象領域

デバイス、センサー、ネットワーク、プラットフォームを組み合わせて価値を提供する

IoTの価値	IoT で モノの 環境を知る	IoT で モノの 動きを知る		IoT で モノの 位置を知る	IoT で モノを 操作する	
IoTプラットフォーム	データ収集	データ処理	アプリケーション管理	認証	セキュリティ管理	外部データ管理
	アプリケーション課金	SIMの起動	デバイス接続管理	位置情報管理	データ使用量管理	回線使用料管理

通信・ネットワーク

WAN 無線／有線	スマホ連携	家庭インターネット回線	専用線	2G/3G	4G
ローカルネットワーク（無線・有線）	特定小電力無線	WLAN	BT/BLE	LAN	リレー接点	RFID	LPWA
	Felica NFC	WiSUN	PLC	RS-232C	RS-485		4G

センサー

温度	湿度	電圧/電流/電力	位置(GPS)	圧力	流量/流速	光/照度/色	画像
加速度	角速度	振動	重量	磁気	音	土壌(水分/PH)	脈拍・血圧・血糖値等

対象領域

交通	自動車	商用車	重機	自販機	エレベーター	農林水産業	検針器	カメラ	デジタルサイネージ
エネルギー・都市	防災・防犯	流通	工作機械	工場	複写機	医療・介護	ヘルスケア	家電	エンターテイメント

IoTサービスのビジネスモデル

価値を組み合わせることで、さまざまなサービスの提供が可能になる

提供価値	扱うデータ	サービス事例
モノの見える化	位置情報、速度、向き、高度、湿度など	無人運転、最適オペレーション、スマート農業、ホームセキュリティ
ヒトの見える化	位置情報、速度、心拍数、脈拍など	健康データ管理、ウェアラブル診断、導線分析
メンテナンス	温度、速度、稼働状況など	稼働状況監視、故障予知、自動アップデート、老朽化検知
最適生産	稼働状況、生産速度、利用状況など	カスタマイズ生産、個別受注生産、自動アップデート
遠隔操作	位置情報、速度、向き、高度、湿度など	スマートコンストラクション、スマート農業、災害ロボット、スマートハウス
シェアリング	位置情報、速度、稼働状況、セキュリティデータなど	ライドシェア、カーシェアリング、民泊

Webシステムの設計では、なぜMVCモデルが有力なのですか？

役割分担の明確化で、様々なメリットが生まれるからです。

　MVC モデルとは、プログラムのモジュールを、データを取り出しビジネスロジックに基づいて処理を行う**モデル**（Model）、クライアント端末への表示と出力を担う**ビュー**（View）、クライアント端末からのリクエストを受け取り、その内容に応じてビューとモデルを制御する**コントローラ**（Controller）の3つに分けるシステム設計手法です。元々は、プログラミング言語の画面インターフェースの設計指針として誕生したMVC モデルですが、現在では、画面構成が複雑になりがちな Web システムの開発や Java による業務システムの開発などで利用されています。MVC モデルには、機能ごとにモジュールを明確に分けることで、IT エンジニアとデザイナーによる開発分業が容易である、コードを再利用しやすい、仕様変更への対応が比較的柔軟、予期しないエラーやデータ書き換えを防げるなどのメリットがある一方で、一定規模以上のシステムではモデルやコントロールが肥大化しやすく MVC モデル通りの設計が難しい、コントロールとビューの相互依存度が高まると修正が難しくなるなどの特徴があります。

Key word

MVVMモデル、Flux、Redux

MVC モデルの派生モデルでは、MVVM モデル、Flux、Redux の3つが有名。MVVM では、ビューに対する入力データが即座にビューモデルに反映される。アプリケーションが変更をリアルタイム表示できるのだ。一方、Flux では、ビューに対する入力に応じて発行されたアクションがディスパッチャー（リソース割当の意味）に渡され、ディスパッチャーからアクションを渡されたストアが、アクションの内容に応じて状態を更新する。Flux では、データ操作がディスパッチャーに集約されるため、アプリケーションの動作が早くなり、規模拡張も比較的容易だ。そして、Redux は Flux を実現する仕組みである。

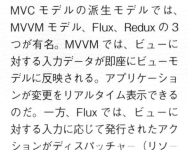

Webアプリケーション開発におけるMVCモデル

それぞれの役割分担を明確にすることで、システムの見通しを良くする

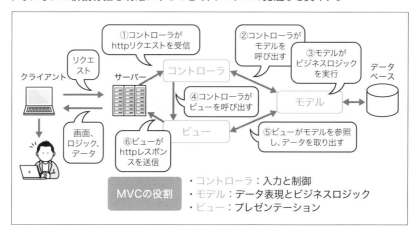

MVCモデルのメリット、デメリット

開発の効率性、コードの再利用性など、様々なメリットが見込まれる

メリット	デメリット
・IT エンジニアとデザイナーが分業しやすい（開発が効率的） ・コードを再利用しやすい（モジュールの独立性が高い） ・仕様変更への対応が比較的柔軟 ・予期しないエラーやデータ書き換えを防げる	・大規模システムではモデルやコントロールが肥大化し、管理が難しい ・一定規模以上のシステムでは、MVCモデル通りの設計が難しい ・コントロールとビューの相互依存度が高まると、修正が難しくなる

MVCモデルの派生モデル

システムの特性に応じて、それぞれの役割を変化させたモデル

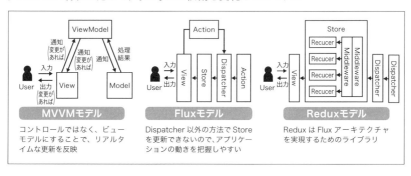

MVVMモデル
コントロールではなく、ビューモデルにすることで、リアルタイムな更新を反映

Fluxモデル
Dispatcher 以外の方法で Store を更新できないので、アプリケーションの動きを把握しやすい

Reduxモデル
Redux は Flux アーキテクチャを実現するためのライブラリ

Webアプリケーション開発はなぜ、難しくなったのですか？

要素技術が増えて、組み合わせも多様になったからです。

　現在、標準となっている Web アプリケーションの3階層モデルでは、データベースからのデータ、アプリケーション（AP）サーバからの**動的コンテンツ**とアプリケーション、Web サーバからの**静的コンテンツ**を、クライアント端末上の Web ブラウザが解析して表示しています。Web アプリケーション開発が難しくなったのは、この3階層で使われている要素技術が以前と比較して格段に増えたためです。

　静的コンテツの開発では、HTML と CSS と JavaScript に加えて、CSS と JavaScript のフレームワークの知識が必須となっており、そのほか、WordPress などの CMS、モバイル対応やサイト高速化に関する知見も求められます。一方、バックエンドの開発では、PHP や Java、Python や Ruby などの Web アプリ開発言語とそのフレームワークに加えて、Web サーバ、AP サーバ、データベース（DB）サーバの知識、そして安定稼働のためにネットワークやハードウェア、クラウドサービスの知見も求められます。このような様々な技術を組み合わせることで、現在の Web アプリケーションは開発されているのです。

静的コンテンツと動的コンテンツ

静的コンテンツとはクライアント端末からのリクエストにかかわらずつねに同じ結果を表示するコンテンツ、動的コンテンツとはクライアント端末からのリクエストに応じて異なる結果を表示するコンテンツである。一般に、Web サーバの処理で表示される静的コンテンツは表示が早く、AP サーバ（＋ DB サーバ）の

プログラム処理で生成したデータを反映の上で表示される動的コンテンツは表示が遅い。動的コンテンツの表示結果を左右するのは通常、ユーザーやユーザーのリクエスト内容などだ。ただし、一般に静的コンテンツに分類される JavaScript を使って、動的コンテンツを表示することも可能である。

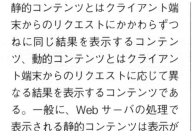

フロントエンドとバックエンド
フロントエンドとバックエンドで、開発に関わるスタッフも変わってくる

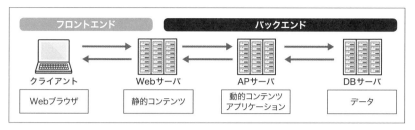

フロントエンドとバックエンドで使われる技術
特にフロントエンドの技術要素が増えており、用途に応じて選択肢が多様になっている

技術・環境	担当	概要	関連技術・ツール
HTML	コーダー、Web デザイナー	Web ページを作成するためのマークアップ言語。Web 上の文章の論理構造、ハイパーリンク、画像表示などを設定する	HTML5、XHTML、HAML、EJS、SEO 対応
CSS	コーダー、Web デザイナー	Web ページにおける HTML や XML の要素のスタイルを設定するための言語。構造とスタイルを分離させるために設定された仕様	CSS3、CSS Grid、Flexbox、CSS Variables
CSS プリプロセッサ	コーダー、Web デザイナー	プログラミングに近い形で表現することで、可読性や保守性を向上させた CSS の仕様。ネスト（入れ子構造）や変数といった概念がある	Sass、Less、Stylus、PostCSS
CSS オーガニゼーション	コーダー、Web デザイナー	Block Element Modifier の略で、「大きな括り」「大きな括りの要素」「それ以外の派生要素」の 3 つに分けて設計・命名する手法。厳格な class 名の命名が特徴	OOCSS、SMACSS、SUITCSS、Atomic、BEM
CSS フレームワーク	フロントエンドエンジニア、コーダー	グリッド、ボタン、ナビゲーション、プラグインなど、Web サイト構築で利用する要素のスタイルを簡単に設定できるようにする、土台となるソフトウェア	Bootstrap、Materialize、Bulma、Foundation、Web Starter Kit、Tailwind CSS、Uikit、Semantic UI、Pure、Skeleton、Gumby
JavaScript	フロントエンドエンジニア、コーダー	Web ブラウザ上と、Web サイトや Web サービスの相互やりとりを動作するプログラミング言語。主にフロントエンドの開発で使われる	Ajax、DOM、JSON、AltJS（TypeScript、CoffeeScript）、ECMAScript、JSX、Node.js、WebSocket
JavaScript フレームワーク	フロントエンドエンジニア	HMTL の要素とデータの関連付け、データ変化に応じた動的ページ構成などを簡単に設定できるようにする、土台となるソフトウェア	jQuery、React、AngularJS、Vue.js、Backbone.js
状態管理フレームワーク	フロントエンドエンジニア	JavaScript フレームワークでの Web アプリケーション開発で使われる、状態管理パターンとライブラリをセットにした土台となるソフトウェア	Redux、Context API、Apollo、VueX、NgRx
モバイル対応	Web デザイナー	スマートフォンなどのモバイル端末に最適化された形でのユーザインターフェースで表示するように、サイトを修正・構築すること	レスポンシブデザイン、アダプティブデザイン、動的配信、PWA
サイト高速化	フロントエンドエンジニア	js/css/image ファイルの最適化、キャッシュルールの設定、読み込みファイルの最適、ルールセット・CSS セレクタの整理などで、サイトを軽量化し、ネットワーク・描画処理を効率化することにより、ページ表示を高速化するサイト	Google Analytics、Google PageSpeed Insights、Chrome Developer Tool、Google mod_pagespeed、loadCSS、TinyPNG、Online Image Compressor、CSS Minifier、JS Minifier、AMP
CMS (Contents Management System)	フロントエンドエンジニア、コーダー、Web デザイナー	Web コンテンツを構成するテキスト、画像、動画などのコンテンツを統合し、体系的に管理し、配信するために必要な処理を行うアプリケーション	Word Press、Movable Type、ShareWith、Drupal、Adobe Experience Manager、Blue Monkey、NOREN
Web API	フロントエンドエンジニア、バックエンドエンジニア	http プロトコルによってネットワーク越しに必要な機能を呼び出すアプリケーション・システム間のインターフェース	REST API、DOM API、Fetch API、canvas、WebGL、Web Storage API
Web アプリケーション開発言語	バックエンドエンジニア	Web アプリケーションのバックエンドを開発するためのプログラミング言語。データの入力、処理、保存、出力などの機能をプログラムすることになる	php、Java、Python、Ruby、Perl、SQL
Web アプリケーションフレームワーク	バックエンドエンジニア	データベースアクセス、Web テンプレート、セッション管理など、Web アプリケーション開発に必要な機能を提供する、土台となるソフトウェア	Laravel、Symfony、Codeigniter、Ruby on Rails、Django、Flask、.NET、Spring Framework、Java EE、Apache Struts、Play Framework、Spark Framework
Web サーバ	バックエンドエンジニア	Web システム上で、ユーザーのコンピュータに対しネットワークを通じて情報や機能を提供するソフトウェア	Apache HTTP Server、IIS、Nginx
アプリケーションサーバ	バックエンドエンジニア	Web システム上で、Web サーバから受け取ったリクエストに基づいてプログラムを実行し、Web サーバに結果（動的コンテンツ）を返すソフトウェア	Cosminexus Application Server、Jboss、Tomcat、Web Logic Server、WebSphere Application Server
データベースサーバ	バックエンドエンジニア、インフラエンジニア	Web システム上で、アプリケーションサーバからのリクエストに基づいてデータを返すソフトウェア	DB2、MySQL、Oracle、SQL Server、PostgreSSQL、Hbase、CouchDB、MongoDB、Redis、Cassandra

Webアプリケーションの開発は
どのように進められますか?

様々な職種のスタッフが役割分担して進めます。

　Web アプリケーションは通常、まとめ役であるプロジェクトマネージャーのほか、ネットワーク・サーバ周りを担当するインフラエンジニア、主に動的コンテンツの開発を担う**バックエンドエンジニア**、主に静的コンテンツの開発を担う**フロントエンドエンジニア**、Web サイトの構成やレイアウトの設計、画面や画像の制作を担う **Web デザイナー**、そして HTML や CSS のコーディングを担う**コーダー**がチームとなって開発します。ただし、サイトの規模に応じてフロントエンドエンジニアや Web デザイナーがコーダーを兼ねるケースも少なくありません。

　Web アプリケーションの開発プロセスは情報システム開発とそれほど変わりありません。ただし多くの場合、開発期間は短く、また大規模 EC サイトなどを除いて、非機能要件やセキュリティに関する要求はそれほど厳しくありません。

　こうしたことから、Web アプリケーションの開発では、様々な開発支援ツールが実験的に利用されます。**開発支援ツール**の使い方を覚えることも Web アプリ開発では求められるのです。

Key word

GitとGitHub

バージョン管理は、ソフトウェア開発で必須となる。そのツール（サービス）として特に有名なのが Git と GitHub である。分散バージョン管理システムと呼ばれる Git では、コードとコードの変更履歴をリポジトリと呼ばれる場所で管理・記録する。また、サーバ上のリモートリポジトリのほかに開発者（端末）ごとのローカルリポジトリが設定され、端末側にもコードと変更履歴が保存されている。これにより、開発者はどの時点のコードに戻ることも可能であり、しかもオフライン時の変更もすぐに反映されるのだ。一方、GitHub はクラウド上で Git によるバージョン管理が可能なサービスである。

Webアプリケーション開発の流れ

多様なスタッフが手分けをして、比較的短期間で開発を進めていくことになる

	企画フェーズ	設計フェーズ		構築フェーズ			導入フェーズ		運用フェーズ
プロダクト マネージャー	プロジェクト管理								
インフラ エンジニア				インフラ構築					運用保守
バックエンド エンジニア	要件定義	基本設計	詳細設計	プログラ ミング	単体 テスト	システム テスト	受入れ テスト	本格稼働	
フロントエンド エンジニア									
Web デザイナー			図面・UI設計	コーディング・ 画像作成	コード レビュー				
コーダー									

ソフトウェア開発、Webアプリ開発を支援するツール・サービス

業務システムと比べて、基本的に使えるツールの自由度が高い（その分、覚えることも多くなる）

	ツール種別	担当	概要	支援ツール
ソフトウェア開発を支援するツール	バージョン管理ツール・サービス	フロントエンドエンジニア、コーダー	ソフトウェア開発において作成、編集される各種ファイルの変更履歴を管理するツール・サービス。特に、ソースコードの管理で利用される	Git、GitHub、Gitlab、Subversion、BitBucket
	構成管理ツール（プロビジョニングツール）	バックエンドエンジニア、フロントエンドエンジニア、コーダー	サーバ構成をファイル管理することで、サーバの構築・設定を自動化するツール。複雑なサーバの構築が効率化できる	Chef、Ansible、Puppet
	プロジェクト・タスク管理ツール	バックエンドエンジニア、フロントエンドエンジニア、コーダー、Webデザイナー	プロジェクトのメンバー・コスト・スケジュールを管理するツール。通常、タスク管理機能やガントチャート機能、工数管理機能などを備える	Redmine、Trac、Backlog、Microsoft Project、Jira、Wrike、Asana、Trello
	バグ管理ツール	バックエンドエンジニア、フロントエンドエンジニア、コーダー	アプリケーション開発で見つかったバグを登録し、修正状況を追跡できるようにするツール。問題や改善点の見える化に使われる	Bugzilla、影舞、tracpath
	仮想開発環境構築ツール	バックエンドエンジニア	異なる環境に移行可能な開発環境を構築・管理・配布できるようにするツール。通常、仮想マシンの構築プロセスを設定ファイルに記述することになる	Vagrant
	CI（継続的インテグレーション）ツール	バックエンドエンジニア	共通リポジトリ上にアップロードされたソースコードのビルドと結合テストを自動実行するツール。結合テストとそのバグ対応が効率化される	Jenkins、CruiseControl
	CD（継続的デリバリー）ツール	バックエンドエンジニア	共通リポジトリ上にアップロードされたソースコードのビルドと結合テストを自動実行しテスト環境へのデプロイ、さらにシステムテストやUIテストを自動実行するツール。リリースまでのプロセス全体が効率化される	Apache Maven、Chef、Puppet
Webアプリ開発を支援するツール	タスクランナー	フロントエンドエンジニア	Webアプリケーション開発において頻出するタスクを、プログラム処理によって自動化するツール。業務効率化やサイト品質向上が目的	nmp script、Gulp、Grunt
	静的検証ツール（Linter）	フロントエンドエンジニア、コーダー	HTML、CSS、JavaScriptなどの構文をリアルタイムに解析することで、ソースコードの潜在的問題を自動的に確認、指摘するツール	ESLint、JSLint、TSList、JSHint、JSCS
	コードフォーマッター	フロントエンドエンジニア、コーダー	HTML、CSS、JavaScriptなどの構文において、設定したルールに基づいて書かれていないコードを強制的に修正するツール	prettier
	モジュールバンドラ（JavaScript）	フロントエンドエンジニア	複数に分割されたJavaScriptのファイル（モジュール）を1つのファイルに統合するツール。モジュール間の依存関係から起こるエラーを防げる	Webpack、Rollup、Parcel、Browserify
	パッケージマネージャー（JavaScript）	フロントエンドエンジニア	JavaScriptフレームワークを構成するプログラム全体（パッケージ）を管理するツール。フレームワークの高速インストールが可能になる	yarn、npm
	トランスパイラ（JavaScript）	フロントエンドエンジニア、コーダー	ES7やES6の構文で書かれたJavaScriptを、現在のブラウザで使用可能なES5に直すツール。	babel
	テストツール（JavaScript）	フロントエンドエンジニア、コーダー	JavaScriptのコードをテストするツール。ブラウザ上でのテストが可能になっている	Jest、Mocha、Karma、Enzyme
	ホスティングサービス	フロントエンドエンジニア、Webデザイナー	静的サイトを高速でホスティングできるようにするサービス。動的な処理を含むランディングページの設定に使われる	Netlify、Github Pages
	FTPツール	フロントエンドエンジニア、コーダー、Webデザイナー	FTP（プロトコル）を利用してファイルの送受信を行うツール。通常、WebコンテンツをWebサーバにアップロードするときに使われる	FileZilla、Cyberduck
	Webデザインツール	フロントエンドデザイナー	Webアプリケーションのユーザインターフェース開発に用いられるツール。アニメーション生成、レイヤー名の編集、画像当て込みなどの機能も備える	Photoshop、Illustrator、Adobe XD、Sketch、Figma、Studio

Webアプリケーションにおいて、サイトはどのように表示されますか？

使われるフロントエンド技術によって、表示方法が変わります。

　Web アプリケーションにおけるコンテンツの表示方法は、使われる**フロントエンド技術**で変わります。静的コンテンツだけで構成される静的なサイトでは Web サーバからの http レスポンスを受けて（JavaScript エンジンが起動し）コンテンツが表示され、動的サイトでは AP サーバと DB サーバのやり取りにより取得された動的コンテンツが静的コンテンツとともに表示されます。また近年は、**Ajax** や **WebSocket** といったデータ送受信技術を使った非同期での Web サーバとのやり取りにより、画面遷移せずに画面を切り替えることも可能になっています。さらに、**SPA**（Single Page Application）という表示方式を使えば、ページ全体を表示するのは初回のみで、2回目以降は必要な箇所（コンテンツ）のみが切り替え表示されます。これにより、Web サイト表示の高速化、高度な Web 表現、Web アプリのスマホアプリとしての提供などが可能になるのです。このように Web アプリケーションでは、表示速度を上げつつ、コンテンツ表示を豊かにするために、フロントエンド開発の難易度が上がっているのです。

Key word

SPAとSSR

SPA では、ユーザーのアクションに基づいて必要な部分のデータのみを Web サーバに要求し、送られてきたデータを JavaScript エンジンが処理してコンテンツに反映する。ここで使われるのも、Ajax や WebSocket などの非同期データ通信技術だ。一方、SSR（Server Side Rendering）とは、Web サーバ上の JavaScript プログラムが AP サーバとやり取りして必要なデータのみを取得する仕組み。SSR は SEO（検索エンジン対策）上、必須だ。アップルの嫌がらせで Flash が消えた現在、Web アプリ開発における JavaScript 周りの技術の重要性は極めて高くなっている。

静的なサイト、JavaScriptを含む静的なサイト、動的なサイトの比較

サイトの構造が複雑になると、表示スピードが遅くなり、サイトの負荷も上がる

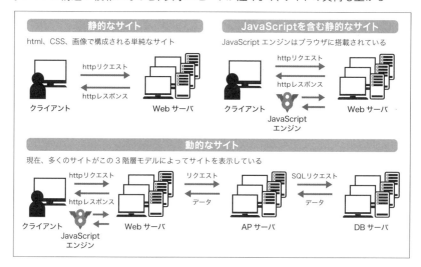

AjaxやWebSocketによるサイト表示

画面遷移せずに表示を切り替えられる点で、Ajaxは画期的だった

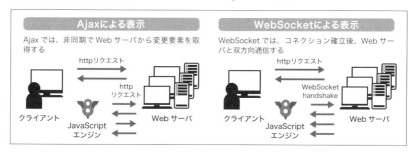

SPAにおけるサイト表示

必要な部分のデータのみを取得し、変更を反映する

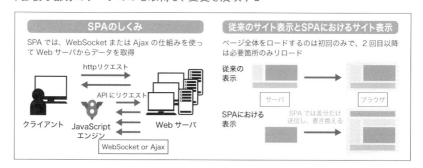

マイクロサービスとは、どのような概念ですか?

ソフトウェアの構造に着目したシステム開発の考え方です。

マイクロサービス（アーキテクチャ）とは、大規模システムを機能ごとに複数の小さな**マイクロサービス**に分割し、それらを連携させることでシステムとして機能させる設計手法です。従来の**モノリシックアーキテクチャ**では大きな単一機能で1つの処理が実現されていたのに対して、マイクロサービスでは複数の独立した機能を組み合わせて1つの処理を実現します。個々のマイクロサービスが独立して動作することでそれぞれを異なる言語で実装可能であり、各マイクロサービスは主にネットワーク経由で通信してタスクを処理することで、各マイクロサービスは異なるマシン上で実行可能であり、マイクロサービス間の依存性が小さくなります。また、同一のマイクロサービスを複数同時に実行してリクエストを振り分けることで、負荷分散や性能向上が可能になり、マイクロサービスを独立して設置することで、マイクロサービスごとに開発・メンテナンス計画が立てられます。マイクロサービスのこうした特徴は、**仮想化技術**や**クラウドサービス**との相性が良く、現在、システム開発での採用が増えています。

Key word

SOAとREST API

SOA（Service Orientec Architecture）とは、大規模システムを業務処理などの単位である「サービス」に分割し、標準的なインターフェイスから呼び出した複数のサービスを組み合わせてシステムとして機能させる設計手法である。マイクロサービスとある意味、非常によく似た概念のSOAは期待された

ほどには普及しなかった。その理由は、マイクロサービスが「REST API」と呼ばれるプログラム呼び出し規約のみで容易に実現できるのに対し、SOAは仕様が複雑で、サービス群をミドルウェアで連携させなくてはならず、そのミドルウェアの規格がベンダー主導で決められたためだと言われている。

モノリシックアーキテクチャとマイクロサービスアーキテクチャ
マイクロサービスアーキテクチャによりマイクロサービスが実現されることになる

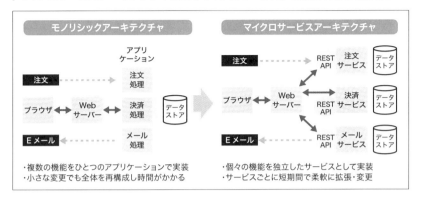

現状のシステムとマイクロサービスによるシステム
個別にサービス提供するアプローチと、組み合わせでサービス提供するアプローチ

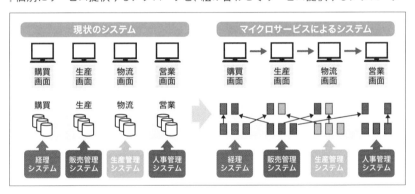

現状のサービスとマイクロサービスによるサービス
データや処理の組み合わせが柔軟になる

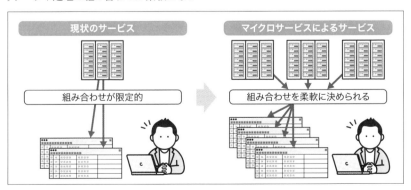

NoSQLデータベースの利用は、なぜ増えてきたのですか？

ビッグデータを容易に扱えるようにするためです。

　NoSQL データベース（NoSQL DB）とは、リレーショナルデータベース以外のデータベース全体を指す概念です。主要な NoSQL DB は、キーとバリューの組み合わせ単位で管理するキーバリュー型、列方向のデータのまとまりで管理するカラム志向型、キーとドキュメントの組み合わせで管理するドキュメント志向型、ノード・リレーション・プロパティでノード間の関係で管理するグラフ型に分けられ、それぞれ MongoDBや Apache Cassandra といったオープンソースの DBMS（製品）のほか、グーグルの BiGTable、アマゾンの Amazon DynamoDB といったサービスが提供されています。

　NoSQL DB がシステム開発で使われるようになってきた背景には、ビッグデータの存在があります。ビッグデータを扱う上では、膨大なデータ量、データ処理の高速性、扱うデータの多様性に対応する必要があります。NoSQL は、データの一貫性を管理しないためデータ処理能力が高く、柔軟なデータ構造を採用しているため多様なデータを扱えます。これらの点がビッグデータ処理に向いているのです。

Key word

CAP理論の過去と現在

CAP 定理とは、分散システムにおいては「一貫性（C）」「可用性（A）」「分断耐性（P）」という３要素のうち、２つしか同時に満たせないことを示した理論だ（グーグルのインフラ担当副社長のエリック・ブルーワーが提唱）。RDB は一貫性と可用性を保証する代わりに分断耐性は犠牲にし、NoSQL DB は分断体制と可用性、分断体制と一貫性のいずれかを保証する（つまり、データアクセスは保証される）。ただし、この理論は CAP の関係を過度に単純化したものであり、現在は、「P のリスクが上がった際、C と A のいずれを優先させるか」は状況に応じて選択肢があるとエリック・ブルーワー自身が訂正している。

NoSQLデータベースの種類
キーバリュー型、カラム指向型、ドキュメント指向型、グラフ型の4種類が主

種類	イメージ	概要	製品
キーバリュー型	Key　Value	キーとバリュー（値）の1：1の組み合わせ単位でデータが格納される。キーはバリューの識別番号のような役割を果たす。構造がシンプルなので応答が早い	・memcached ・Redis
カラム指向型	Key　Value　Value　Value　Value	列方向のデータのまとまり単位でデータが格納される。キーバリュー型を少し高度にしたデータモデル。行キーごとのカラム数は動的に増やせる	・Apache ・Cassandra ・HBase ・BigTable
ドキュメント指向型	Key　Document	キーとドキュメントの組み合わせでデータが格納される。ドキュメントは、XML や JSON など様々なデータ構造のものに対応可能	・MongoDB ・CouchDB
グラフ型	Node Node Node Node Node	グラフ理論に基づいて、「ノード」「リレーション」「プロパティ」の3要素によってノード間の関係性を表現して、データが格納される。関係性を持つが、RDB とは異なる表現であるため、NoSQL として分類される	・Neo4j

NoSQLの活用事例
グーグル、アマゾン、フェイスブック、リンクトインなどで使われている

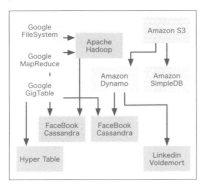

CAP理論とRDB、NoSQLの違い
RDBと違って、NoSQLではデータの一貫性を重視しない

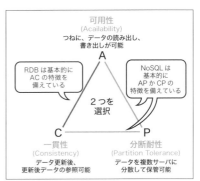

ビッグデータ対応に必要な要素 (3つのV)とRDBとNoSQLの特性
ビッグデータを扱う上では、量、速度、多様性への対応が必要になる

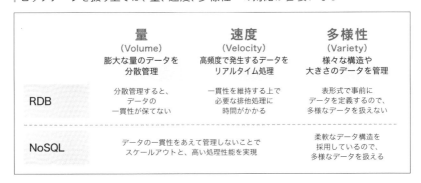

	量 (Volume) 膨大な量のデータを分散管理	速度 (Velocity) 高頻度で発生するデータをリアルタイム処理	多様性 (Variety) 様々な構造や大きさのデータを管理
RDB	分散管理すると、データの一貫性が保てない	一貫性を維持する上で必要な排他処理に時間がかかる	表形式で事前にデータを定義するので、多様なデータを扱えない
NoSQL	データの一貫性をあえて管理しないことでスケールアウトと、高い処理性能を実現		柔軟なデータ構造を採用しているので、多様なデータを扱える

組込みソフトウェアの市場は なぜ、拡大しているのですか？

ロボットやIoTなど、用途が拡大しているからです。

　自動車や家電、プリンタなどの業務用機器や工場の設備などで使われる**組込みソフトウェア**の市場が拡大しています。家電や自動車の開発費全体に占める組込みソフトウェアの比率は年々増加しており、組込みソフトの3割を占めると言われる自動車分野では、衝突回避支援ブレーキや車間制御システム、駐車支援システムの実現などにおいて組込みソフトウェアが大きな役割を果たしています。今後は、ウェアラブル端末やロボット、自動運転車やIoT機器の普及によって、さらにニーズが拡大していくことは間違いないでしょう。

　増え続ける組込みソフトウェア開発の需要に答えるため、富士ソフトやソーバルといった組込み系大手、NECや東芝などのメーカー系子会社はITエンジニアを増員しており、IBMはメーカーとともに基盤技術を共同開発する部署を立ち上げています。

　また経済産業省は情報処理推進機構（IPA）とともに、組込みソフトウェア技術者のキャリアとスキルのマップ、**ETSS（組込みスキル標準）**を公開し、人材育成を図っています。

> **Key word**

TRON系OSとUNIX系OS

組込みシステムは通常、「①ハードウェア＋専用ソフトウェア」「②ハードウェア＋ミドルウェア＋ソフトウェア」「③ハードウェア＋OS＋ミドルウェア＋ソフトウェア」のいずれかの構成で開発される。このうち、リアルタイム性が低く、高機能が要求される製品では③の構成を採るケースが多い。その場合、組込みシステムのOSとして使われることが多いのは、日本発のTRON系OSとUNIX系OSだ。そのほか、Windows系OSと独自OSなども使われる。一般に、ネットワーク機器ではUNIX系、POSシステムではWindows系やLinux系、IoT機器ではTRON系OSなどが使われる。

組み込みソフトウェア市場の推移
今後、さらなる成長が予想される

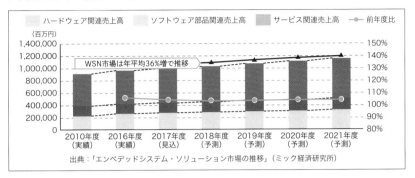

凡例：ハードウェア関連売上高　ソフトウェア部品関連売上高　サービス関連売上高　前年度比

WSN市場は年平均36%増で推移

出典：「エンベデッドシステム・ソリューション市場の推移」（ミック経済研究所）

組込みソフトウェア受注構造
ここでも、多重下請構造などが問題となっている

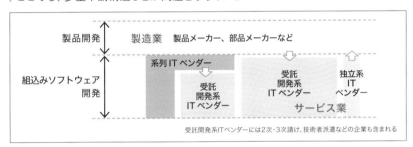

受託開発系ITベンダーには2次・3次請け、技術者派遣などの企業も含まれる

組込みスキル標準 (ETSS)
国もエンジニア育成の体制を構築しようとしている

職種		プロダクトマネージャ	プロジェクトマネージャ	ドメインスペシャリスト(※1)	システムアーキテクト		ソフトウェアエンジニア		ブリッジエンジニア	サポートエンジニア		QAスペシャリスト	テストエンジニア
専門分野		組込みシステム	組込みソフトウェア開発	組込み関連技術	組込みアプリケーション	組込みプラットフォーム	組込みアプリケーション	組込みプラットフォーム	組込みシステム開発	組込みシステム開発現場	開発プロセス	組込みソフトウェア開発	組込みシステム開発
ハイレベル	レベル7												
	レベル6												
	レベル5												
ミドルレベル	レベル4												
	レベル3												
エントリレベル	レベル2												
	レベル1												

※1　組込みスキル標準の技術要素や製品名称、標準規格など

RPAやノンプログラミングは なぜ、注目されているのですか?

人手不足、働き方改革、業務効率化の流れなどが原因です。

RPA（Robotic Process Automation）とは、ホワイトカラーによる定型的な事務作業を自動化することを指し、**RPAツール**は、人手で行っている業務（PC操作）をシナリオに落とし込み、シナリオに基づいて業務を遂行するソフトウェアです。RPAツールには通常、**ルールエンジン**、HTML解析、画像認識などの機能が搭載されており、画面上の座標指定も可能です。ある意味、エクセルのマクロ機能を高度化させたツールと言えるでしょう。一方、**ノンプログラミングツール**とは、プログラミングすることなく、ブロックの組み合わせやエクセルライクな操作など、直感的な操作によってRPAツールと同様な機能を開発可能なソフトウェアです。ただし、RPAツールの設計・開発は一般にITベンダーや情報システム部門が行うのに対して、ノンプログラミングツールは通常、エンドユーザーが開発を担当します。RPAツールもノンプログラミングツールも2017年から2018年にかけて、人手不足、働き方改革、業務効率化の流れから、金融機関を中心に導入が始まり、現在は様々な産業に広がっています。

Key word

ルールエンジンと構造解析技術

RPAツールでもノンプログラミングツールでも、重要なのはルールエンジンと構造解析技術（とそれを支える画像認識技術）だ。すなわち、業務操作（プロセス）や業務ルールをルールエンジンに落とし込むこと、対象となるアプリケーションの画面構成（メニュー、入力エリア、ボタン、選択項目など）を認識することである。この2つの機能で、多くの作業がツールで代替可能となるのだ。なお、RPAツールとノンプログラミングツールは必ずしも別製品ではない。ノンプログラミングツールでRPAツールを作成可能であり、RPAツールを使って、エンドユーザーが業務を自動化することも可能だ。

主要なRPAのツール
基本的には、定型業務、繰り返しの多い業務を自動化する

製品・サービス	提供元	動作環境	特徴
WinActor	NTT データ	PC、サーバ	録画方式またはコマンドによって定型業務を自動化するツール。記録した手順はフローチャートとして自動保存
BizRobo!	RPA テクノロジーズ	PC、サーバ	定型業務を自動化するロボットのレンタルあるいは提供する RPA ソリューション
Blue Prism	Blue Prism	サーバ	定型業務を自動化するロボットを開発する RPA ツール。一連の処理をフローチャート形式で設定する
UiPath	UiPath 日本法人	PC、サーバ	録画方式またはコマンドによって定型業務を自動化するツール。画面の要素を分析して関連付けが可能になる
NICE APA	ナイスジャパン	PC、サーバ	紙文書の情報をデータ化する OCR 機能、データを収集して PC 画面上に集約表示する機能を備える
Pega Robotic Automation & Intelligence	ペガジャパン	PC、サーバ	業務アプリや AI などと連携可能。ユーザーの PC 作業をモニタリングして自動化可能な作業を分析するサービスも提供
Robot Staff	Sprout up	PC、サーバ	毎月 10 時間分の PC 作業を自動化できる「派遣型」と、月額料金固定の「常駐型」という 2 種類のサービスを提供
Automation Anywhere Enterprise	オートメーション・エニウェア	PC、サーバ	録画方式またはコマンドによって定型業務を自動化するツール。ワークフローの設定により複数のロボットを連携可能

主要なノンプログラミングツール
コードを書かなくても、業務のプロセスを明確にすることで、プログラミングが可能

製品・サービス	提供元	動作環境	開発方式
kintone	サイボウズ	クラウド	アプリを開発し、コミュニケーションスペースを作成することで、自社のシステムを開発できるツール。他システムとの連携も容易
CELF	SCSK	サーバ、クラウド	ブロックを組み合わせることで、アプリケーションや RPA ツールを開発できるツール。無料の学習プログラムも提供されている
Web Performer	キヤノン IT ソリューションズ	サーバ、クラウド	システム開発現場向けのウェブアプリケーション開発ツール。ノンプログラミングで Java ベースのシステムの構築が可能
UnitBase	ジャストシステム	サーバ、クラウド	ドラッグ＆ドロップや Excel ファイルの取り込みなどにより、さまざまな業務システムを開発できるツール
Wagby	ジャスミンソフト	サーバ、クラウド	設計書からウェブベースの業務システムを自動生成するツール。業務ルール、画面、データベーススキーマなども自動生成

RPAツール導入の流れ
PoCで、最初に立てた仮説が正しいか、使いものになるかを検証した上で、本格導入

簡易検証	業務分析	PoC (実証実験)	本格導入	定着化・運用
トライアル利用 利用イメージ確認 RPA適性確認	ヒアリング・分析 業務フロー・ 課題の見える化 RPA適性範囲の設定・ ツール選定	PoC環境構築 ロボット作成・教育支援 費用対効果の確認	業務へのRPA適用 複数部門での ロボット作成 RPA推進体制づくりの 支援	導入後サポート・改善 システム運用・保守 RPA推進・教育支援

ロボットは、どのような分野で
活用されていますか?

医療や介護、物流や建設など、様々な分野に広がっています。

　ソフトバンクの Pepper の登場で一時期関心が集まった**人型ロボット**は急速なブーム終焉を迎えた一方で、製造や建築、介護や医療、物流や農業などの現場には多くのロボットが導入されるようになってきました。こうした現場で活躍しているロボットは、汎用的な用途ではなく、比較的狭い領域で人の動きをサポートしたり、人手による処理を代替したりすることで成功しています。

　特に導入目覚ましいのが、塗装、溶接、研磨、組み立てなどの工程を**産業用ロボット**です。ただし、製造現場にロボット導入するにあたっては支援が求められ、その役割を**ロボットシステムインテグレータ（ロボット SIer）**が担っています。導入の流れは、基本的にシステム導入とあまり変わりありません。システム企画、要件定義、基本設計、詳細設計を経て、製造、搬入・据え付け・調整、ユーザー引き渡し、本稼働へと進みます。現在、ロボット SIer の役割を担っているのはハードウェアにも強い中小企業ですが、日本のロボットメーカーは競争力が高いこともあり、アジア圏などで市場拡大が予想されます。

Key word

ロボットシステムインテグレーション導入プロセス標準

ロボットシステムインテグレーション導入プロセス標準（RIPS）とは、日本ロボット工業会が定めた、ロボットシステムの導入マニュアルだ。システム導入にあたり、「仕様定義が曖昧」「作業工程ごとの状況確認が不足」「手戻りが多発」「導入時にマニュアル納品がない」「分割研修の概念がない」などの問題が起こっていたことから定められた。RIPSには、RFP（「II-15」参照）やW字モデル（「II-08」参照）など、ソフトウェアエンジニアリングの方法論が数多く取り入れられている。また製造現場では起こってしまう死亡事故を回避するために、リスクアセスメントも重視されるなど、違いもある。

ロボットの分類

産業用ロボットは以前から使われてきたが、用途が急速に広がりつつある

大分類	中分類	小分類	作業例
産業用ロボット	製造業分野	溶接システム	自動車車体のスポット溶接、鉄骨柱の組立溶接、橋梁の溶接など
		塗装システム	自動車ボディの塗装、携帯電話の塗装など
		研磨／バリ取りシステム	洗面化粧台の研磨、鋳鉄バルプ素材のバリ取りなど
		作業支援	工場における作業員のパワーアシストなど
		組み立てシステム	自動詰め替え、生産モニタ、自動組み立て、ねじ検査、部品ピッキングなど
	非製造業分野	農林業用ロボット	林業支援、自動田植えなど
		畜産ロボット	乳牛の搾乳、飼料の付与など
非産業用ロボット（次世代ロボット）	生活分野	警備ロボット	不審物除去、初期消火、不審者侵入検知、火災発生検知、漏水検知、案内業務など
		掃除ロボット	自動掃除、自動充電など
		コミュニケーションロボット	遠隔操作、侵入者検知、緊急通報、画像認識、会話、留守番管理、健康管理など
		エンターテイメントロボット	会話、感情表現、癒し、演奏、うち返し、自律移動など
		多目的ロボット	来客対応、対人サービス、人との共同作業など
	医療／福祉分野	医療ロボット	内視鏡手術支援、遠隔手術など
		福祉ロボット	癒し、パワーアシスト、食の自立支援、カルテなどの自立搬送など
		災害対応ロボット	衣料品運搬、爆発物処理、無人放水、レスキュー、探索救助など
		探査ロボット	偵察監視、危険物除去など
		海洋ロボット	機雷掃海、対潜水艦戦など
	公共分野	原子力ロボット	耐高放射線対応、遠隔操作による原子炉解体、原子力災害時の情報収集など
		宇宙ロボット	火星探査、気象試験衛星、宇宙用遠隔操作など
		建設ロボット	高圧電線工事、超音波採傷試験、水道管内の不断水調査など

ロボットシステムインテグレータの役割

メーカー系を中心に、ロボット導入を手がけるITベンダーも増えている

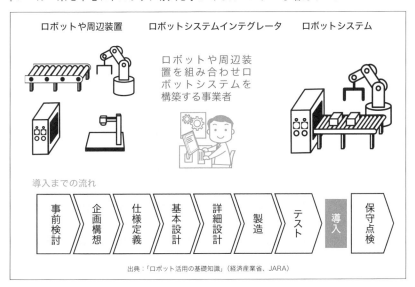

ロボットや周辺装置　　ロボットシステムインテグレータ　　ロボットシステム

ロボットや周辺装置を組み合わせロボットシステムを構築する事業者

導入までの流れ

事前検討　→　企画構想　→　仕様定義　→　基本設計　→　詳細設計　→　製造　→　テスト　→　導入　→　保守点検

出典：「ロボット活用の基礎知識」（経済産業省、JARA）

ウェアラブル端末は今後、どの程度普及しますか?

スマートフォン以外の端末の進化・普及が鍵となります。

　ウェアラブル端末とは、腕や頭部など、身体に装着して利用するコンピュータのことです。国内外のメーカーから端末が発売され、スマートフォンやタブレットの次の市場として注目を集めています。

　現在、発売されているウェアラブル端末には、リストバンド型、腕時計型（スマートウォッチ）、メガネ型（スマートグラス）、衣服型（スマートウェア）などがあります。ウェアラブル端末が提供する機能は、**健康データ**や**ライフログ**の取得、歩行・走行・移動距離の計測などのスポーツ・ヘルス系、電話やメールの応答、SNSやスケジュールの確認、音楽や映像の視聴などの情報・映像系に分けられます。

　ウェアラブル端末が急速に普及してきた背景には、コンピュータの小型・軽量化によりデバイスの軽量化が可能になったこと、モバイルインターネット環境が整備されたことでネットの常時接続が可能になったこと、各種センサーの精度が向上したことで多様な入・出力や操作が可能になったことがあります。日本では、工場における製造プロセス確認、空港における機体整備などでも利用が進んでいます。

Key word

AR、VR、MR

AR（Augmented Reality、拡張現実）とは現実世界にデジタルによる仮想現実の情報を加える技術、VR（Virtual Reality、仮装現実）とは仮想世界に自分が入っているように感じさせる技術、MR（Mixed Reality、複合現実）とは仮想世界に現実世界の情報を加える技術だ。それぞれ、ARはポケモンGOのよ　うなスマホゲーム、VRは映画やスポーツの中継や設備点検などにおける作業手順のナビゲーション、MRは不動産会社のモデルルーム内見などにおける利用が始まっている。AR、VR、MRの活用には、スマートフォン以外の様々なウェアラブル端末の進化・普及が鍵になると言われる。

ウェアラブル端末の種類

衣服型など、新たな形態のウェアラブル端末も登場している

種類	特徴	製品例
リストバンド型	常時装着が可能になるように軽量に設計されており、スポーツやヘルスケア分野での利用を意識した製品が多い	FUELBAND（ナイキ）、ムーヴバンド（ドコモ・ヘルスケア）
腕時計型（スマートウォッチ）	一定以上の大きさの表示画面を搭載することで、リストバンド型よりも操作性・情報表示性に優れ、スマホとの連動も図られる	Apple Watch（アップル）、SmartWatch 2（ソニー）、GALAXY Gear（サムスン）
メガネ型（スマートグラス）	両目または堅めの視野部分が透過型ディスプレイになっていて、映像や画像が空中に浮いているように見える。軽量化と省電力化が課題	Google Glass（グーグル）、SmartEyeglass（ソニー）、JINS MEME（ジェイアイエヌ）
HMD（ヘッドマウントディスプレイ）型	ジャイロ・加速度センサーなどを搭載し、ユーザーの動きに応じて映像を表示する。ゲームや仮想現実体験などに利用される	Oculus Rift（Oculus VR）、MOVERIO（セイコーエプソン）
カメラ型	サーフィンやマウンテンバイクなどのスポーツシーンを録画・撮影できるように設計されている製品が多い。防水・耐衝撃性を備える	HERO3（GoPro）、AS15（ソニー）、HX-A100（パナソニック）

ウェアラブル端末の市場予測

現状は、情報端末としての利用が主流

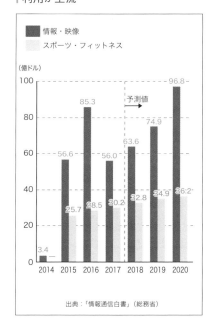

出典：「情報通信白書」（総務省）

AR/VRの市場予測

ウェアラブル端末が普及すれば、AR/VRの市場も大きく成長することになる

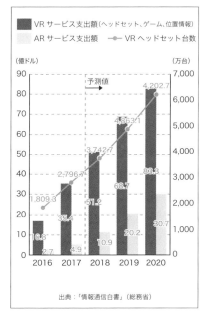

出典：「情報通信白書」（総務省）

AIスピーカーは今後、 どの程度普及しますか?

現状、機能は限定的ですが、今後は期待できそうです。

AIスピーカー（Smart Speaker）とは、音声操作に対応した、対話機能を搭載する AI アシスタント機能を持ったスピーカーです。2014年にアマゾンが **Amazon Echo** を発売して米国でヒットすると、グーグル、アップル、ソニー、LINE、マイクロソフトなどが次々と後続製品を発売しました。

AIスピーカーのサービスを進化させるには、大規模なクラウドサービスとその上で可動する音声認識・画像認識・自然言語解析などの機能を搭載した AI アシスタントが必須であり、現在は先行するアマゾンとグーグル（**Google Home**）の一騎打ちとなっています。

現時点で AI スピーカーでできることは限られているため、AI スピーカーのアプリ（Amazon Echo ではスキル、Google Home ではアクションと呼ばれる）開発は活況を呈しているとは言えません。ただし、今後は技術の進化に伴って市場拡大が予測されているため、アプリ開発のスキルは重要になっていくと予想されます。

Key word

AIアシスタント

AIスピーカーの機能を実現しているのは、AI アシスタントと呼ばれるソフトウェアだ。それぞれ、アップルには Siri（iphone に搭載）、グーグルには Google Assistant（Pixelや Google Home に搭載）、アマゾンには Alexa（Amazon Echo）と呼ばれる AI アシスタントがある。AI アシスタントは、音声のほか、テキスト（チャット）による操作も可能だが、高度な自然言語処理技術（自然言語をコンピュータで処理する技術）が必要となるため、日本語による操作は十分とは言えないのが現状だ。ただし、最近はウェアラブル端末や自動車、ロボットなどにも搭載が始まっており、さらなる進化が予想される。

AIスピーカーの仕組み（例：アマゾン）とできること
クラウドでデータを処理してAIスピーカーに戻す

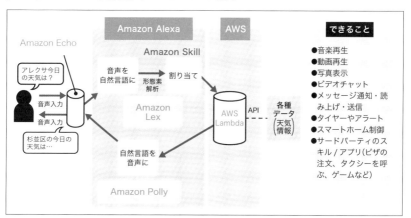

AIスピーカーの市場
今後、大きく普及することが
見込まれる

注1　事業者売上高ベース
注2　テキスト及び音声をインターフェイスとした対話型AIシステム（ソフトウエア）を対象とし、対話機能を持つスマートスピーカーやスマートフォン、ロボットなどのデバイスは（ハードウエア）含まない。
出典：矢野経済研究所

AIスピーカーの種類と対応アプリ開発
アマゾンとグーグルの一騎打ちと
なっている

	Amazon Echo	Google Home	Clova WAVE
メーカー	アマゾン	グーグル	LINE
AI	Alexa	Google アシスタント	Clova
特徴	EC に強み、世界初	検索に強み、企業連携に積極的	メッセージングに強み、アジア圏展開
アプリ名称	Alexa スキル	Google Assistant アプリ	Clova スキル
音声認識	○	○	○
自然言語処理	○	○	○
開発言語	Node.js (JavaScript)、Python	Node.js (JavaScript)、Python	Node.js (JavaScript)、Swift、kotlin
開発環境	Alexa Skills Kit、Alexa Skills Kit Developer Center	Dialogflow	Clova Developer Center

AIスピーカー・アプリ開発で必要となる環境（例：アマゾン）
AIスピーカーのアプリ開発ではサーバレスが主流となる

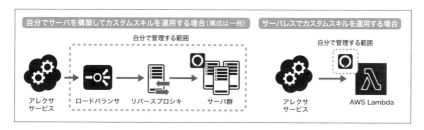

5Gの普及で、どのようなビジネスが可能になりますか？

動画配信、ドローン、自動運転など、様々です。

　1980年半ばに日本でも実用化された移動通信（第1世代アナログ方式）は、その後パケット通信（「Ⅱ-05」参照）によるデジタル方式（第2世代）、全世界共通のデジタル方式（第3世代）を経て、現在 LTE-Advanced（第4世代）が主流となっています。そして、2020年には日本でも第5世代（**5G**）のサービスが開始されます。

　5Gでは、これまで活用が難しかった高い周波数の電波を制御することで、さらなる「高速・大容量」と「低遅延」「多接続」が可能になります。これにより、**エッジコンピューティング**のサービスを提供できるようになると考えられています。エッジコンピューティングでは、通信経路の近くでデータ処理することにより、負荷分散やコスト削減、リアルタイム性や高信頼性を確保できます。またネットワークを仮想的に分割する**ネットワークスライシング**により、用途や特性に応じてデータを送る単位が変えられるようになるでしょう。

　このように、5Gの実用化で既存ビジネスにイノベーションが起こる可能があるのです。

Key word

B2C、B2B、B2B2X

これまで移動通信網を使った通信事業者のビジネスは、自社の通信網を使った通信サービスを消費者に提供して通信料金をもらう「B2C」と、自社の通信網を設備を持たない通信事業者に提供して回線費用をもらう「B2B」のいずれかだった。しかし5Gのサービスが本格化すると、通信事業者が自社の通信サービスに付加価値を付けて別のサービス事業者に提供し、その事業者単独では難しかった独自サービスがユーザーに提供されるようになると言われる。これが、『5Gビジネス』（日経文庫）の中で展開されているB2B2Xと呼ばれる、新しいビジネスモデルだ。同書では、ビジネスの中心はB2B2Xに移るとしている。

第5世代への進化
通信速度はこの30年で1万倍以上になった

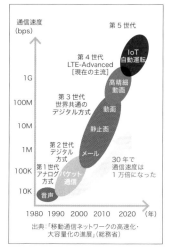

出典:「移動通信ネットワークの高速化・大容量化の進展」（総務省）

エッジコンピューティング
負荷分散やコスト削減、リアルタイム性や高信頼性を確保できる

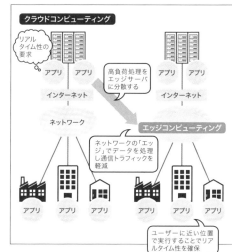

ネットワークスライシング
用途や特性に応じてデータを送る単位が変えられる

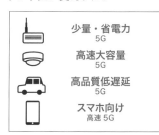

5Gの3つの特徴
さらなる「高速・大容量」と「低遅延」「多接続」が可能になる

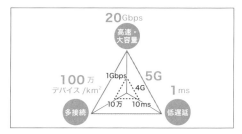

5Gにより可能になるビジネス
既存のビジネスに5Gを組み合わせることで新たなビジネスが生まれる

247

おわりに

　企業向けIT（いわゆる、エンタープライズIT）は、非常にわかりにくい分野です。理解が難しい理由は、用語の難しさ（やたら、横文字、略語が多い）に加えて、業界やITの歴史、ITベンダーやユーザー企業の事情がわからないと、「なぜ、このような技術が誕生したのか」「なぜ、このようなビジネスが受け入れられているのか」が理解できないからです。

　20年以上に渡るIT業界の取材や執筆を通して感じたのは、情報アップデートの必要性に加えて、技術やビジネスの本質を理解することの重要性です。トレンドは確かに重要ですが、新しい技術・ビジネスは古い技術・ビジネスがベースになっているため、トレンドだけでは本質的な理解にはつながりません。そこで本書では、全体を「I部　業界の常識」「II部　業務の常識」「III部　最新の常識」に分け、I部とII部で基礎知識を解説し、III部で業界・業務における最新トレンドを紹介しています。背景とともに、トレンドを理解していただければと思います。

　IT業界に入ったばかりの人に向けて執筆した『IT業界のしくみとながれ』はお陰様で、累計10万部超を売り上げました。ただ一方で、読者からの反響を見るにつけ、当初考えていた初学者よりも、第2新卒や初めて部下を持った課長レベルの方により受け入れられているとも感じました。

　そのため、今回の書籍は読者のレベルを一定の経験を積んだ層に設定し、より高度で広範囲な内容を扱っています。また、「身近な疑問」で始まる各項目ごとの解説には、各項目に関連するキーワードも掲載しました。ITの技術やビジネスの知識を現場の業務と結び付けながら理解できるように配慮したつもりです。

本書を通じて理解した業界・業務・最新の常識が、皆さんの業務を円滑に進める上で一助になれば幸いです。

イノウ

参 考 文 献

◎世界一わかりやすい IT［情報サービス］業界のしくみとながれ 第5版 イノウ（ソシム）

◎よくわかる情報システム&IT業界 新井 進（日本実業出版社）

◎図解ソフトウエア業界ハンドブック 岩田 昭男（東洋経済新報社）

◎新版 図解情報・コンピュータ業界ハンドブック 小山 健治（東洋経済新報社）

◎インドIT革命の驚異 榊原 英資（文藝春秋）

◎SEのフシギな生態 きたみ りゅうじ（幻冬舎）

◎RFP&提案書完全マニュアル 永井 昭弘（日経BP社）

◎若手SEのためのシステム設計の考え方 上野 淳三、白井 伸児、広田 直俊（ディーアート）

◎How Google Works
エリック・シュミット、ジョナサン・ローゼンバーグ、アラン・イーグル、ラリー・ペイジ（日本経済新聞社）

◎ハッカーと画家 ポール グレアム（オーム社）

◎人月の神話 新装版 フレデリック・ブルックス（丸善出版）

◎ピープルウェア 第3版 トム・デマルコ（日経BP社）

◎プログラムはなぜ動くのか 第2版 矢島 久雄（日経BP社）

◎リーダブルコード ダスティン・ボスウェル、トレバー・ファウチャー（オライリージャパン）

◎マスタリングTCP/IP 入門編 第5版 竹下 隆史、村山 公保、荒井 透、苅田 幸雄（オーム社）

◎誰のためのデザイン? 増補改訂版 D・A・ノーマン（新曜社）

◎日経コンピュータ 日経BP社

◎日経ソフトウェア 日経BP社

◎ソフトウェアデザイン 技術評論社

◎Web+DB Press 技術評論社

◎経済産業省 特定サービス産業動態統計 http://www.meti.go.jp/statistics/tyo/tokusabido/

◎情報サービス産業協会（JISA） http://www.jisa.or.jp/index.html

◎日本情報システム・ユーザー協会（JUAS） http://www.juas.or.jp/

◎情報処理推進機構（IPA） http://www.ipa.go.jp/

◎情報処理学会 http://www.ipsj.or.jp/

◎日本セキュリティ監査協会（JASA） http://www.jasa.jp/index.html

◎日経XTECH https://tech.nikkeibp.co.jp/

◎IT Media http://www.itmedia.co.jp/

◎@IT http://www.atmarkit.co.jp/

◎Codezine http://codezine.jp/

◎CNET Japan http://japan.cnet.com/

◎ビジネス＋IT https://www.sbbit.jp/

◎Source Forge.jp http://sourceforge.jp/

索引

あ行

■企画・編集　　　　　　イノウ　http://www.iknow.ne.jp/
■ブックデザイン　　　　河南 祐介（FANTAGRAPH）
■イラストレーション　　うての ての
■DTP・図版作成　　　　西嶋 正

ITの仕事に就いたら「最低限」知っておきたい 最新の常識

2020年　2月10日　初版第1刷発行
2024年　7月24日　初版第11刷発行

著　者　　イノウ
発行人　　片柳 秀夫
発行所　　ソシム株式会社
　　　　　https://www.socym.co.jp/
　　　　　〒101-0064 東京都千代田区神田猿楽町1-5-15　猿楽町SSビル
　　　　　TEL　03-5217-2400（代表）
　　　　　FAX　03-5217-2420
印刷　　　中央精版印刷株式会社